OHSAMA BUNKO

スピリチュアル ワーキング・ブック

江原啓之

三笠書房

prologue 運命は、その人に一番合う仕事を用意しています

あなたは、自分の仕事に「幸せ」を感じていますか?

本当にやりたい仕事に出会っていますか?

毎日の仕事に生きがいを感じていますか?

この問いに自信を持ってイエスと答えられる人は、案外少ないのではないでしょうか。それどころか、会社の仕事はつまらないし、お給料や待遇にも不満がある。でも、辞める勇気もないから、仕方なく働いている。そんな人もいるかもしれません。

では、もう少し、根本的なことから考えてみましょう。

あなたはなぜ、何のために、仕事をしているのですか?

お金を稼ぐため?　人から評価してもらうため?　それとも、生きがいを見つけるためでしょうか?

確かに、仕事をしなくても、お金や生きがい、名誉が得られるなら、人は働かなくなるでしょう。けれど現実には、仕事を通して、それらが手に入る仕組みになっています。だから私たちは働くのです。

これは、じつによくできた神のはからいです。なぜなら私たちのたましいは、仕事を通して得た経験によって磨かれるからです。仕事の中で悩み、苦しみ、努力する。その過程で、たましいは大きく成長します。仕事をする本当の目的はここにあるのです。

お金や評価は、あとからついてくる「ごほうび」にすぎません。私たちは目に見える何かが得られないと働かなくなってしまうので、そういうごほうびを用意してもらっているだけです。けれど、本当の目的はそこにはありません。

よく「働かなくても困らないだけのお金があればラクなのに……」とか、「遊んで暮らせる人がうらやましい……」という言葉を耳にしますが、一度よく考えてみてください。それは本当にうらやむような生活でしょうか。

私たちがこの世に生まれてきたのは、さまざまな体験を通して感動を味わうためです。感動することで、たましいを磨き、成熟させて、やがてたましいの故郷（スピリチュアル・ワールド）へと帰っていく。それが私たちの使命です。

働くことを通して、私たちはさまざまな喜怒哀楽を味わうでしょう。そのすべてが、あなたのたましいを磨く「感動」です。そんな感動を積み重ねていくことで、あなたは初めて「幸せ」を手にすることができるのです。

ですから、「できることなら働かずに暮らしたい」と考えるのは、本当の幸せを手に入れるチャンスをみすみす放棄するのと同じことです。

もちろん、会社で働くことだけが「仕事」ではありません。女性の場合は家庭に入って専業主婦になる人もいるでしょう。家事や子育ても立派な「仕事」です。そこで生じるさまざまな感動をじっくり味わってください。

私たちは皆、感動するために生まれてきたのです。

それを一番多く経験できるのが、「仕事」というフィールドです。

働いていると、壁にぶつかることもあるでしょう。投げだしたくなることもあると思います。けれどそれもすべて学びです。あなたを見守るガーディアン・スピリット（守護霊）が、あなたの成長のためにあえて与えている試練かもしれないのです。

仕事をするときは、常にこの視点を忘れないでください。

すると、今、何をしなくてはいけないかが見えてきます。仕事に不満や悩みがあるなら、そこから何を学ばなくてはいけないのかに気づけるのです。

この本には、そんな気づきに役立つヒントをたくさんちりばめました。

あなたが気づきはじめると、少しずつ周囲も変わってきます。今までとは違う、いい仕事がめぐってくるようになります。それは、「そろそろ次の課題に進めますよ」というガーディアン・スピリットからのメッセージです。何も心配することはありません。あきらめさえしなければ、人は必ず自分に一番合う仕事とめぐりあえるようにできているのです。

スピリチュアリズムでは、この世に偶然はないと考えます。今、あなたがこの本を手にしたのも決して偶然ではありません。

あなたがメッセージを受けとるときが来たということ。そして、日々の仕事の中に幸せを感じとれる充実した人生、その扉の前に、今あなたが立っているということなのです。

江原啓之

✳スピリチュアル ワーキング・ブック 目次✳

Step 2 毎日のちょっとしたことにも、大切な「気づき」は隠されています

Step 3

運命に偶然はありません、すべてがあなたにとって大切な出会いです

Step 4
「時間」を上手に使えると働くのがもっと楽しみになります

Step 5

お金を味方につけるにはどうすればいい？

Step 6

自信が生まれる「自分磨きのスピリチュアル・レッスン」

Step 7 眠っている才能を開花させるスピリチュアル・テクニック

Step 8 夢をかなえたいあなたへスピリチュアルワールドからのメッセージ

「世の中には、数多くの職業があります。あなたがどんな職業に就いたとしても、そこには必ず学びがあります。もっとやりたいことはあったのに、今の職場にしか入れなかった、今の仕事しかなかったという人もいるかもしれませんが、スピリチュアルな立場から見れば、それもあなた自身が選んだということになります。

どんな職業に就いていようと基本は同じです。あなた自身のスピリットを成長させることが大切なのです。今までつまらないと思っていた仕事も、そういう目で見ていけば、楽しくやりがいのあるものに変わるはずです」

――前著『幸運を引きよせるスピリチュアル・ブック』の中で私はこう書きました。

本書では、仕事についてさらに詳しく説明したいと思います。日常の仕事のことだけでなく、あなたがその仕事をする意味や生きがいの見つけ方、夢のかなえ方といったことなどもスピリチュアルな観点から考えていきましょう。

いいことも悪いことも、すべてがあなた自身の向上のために用意された必要な出来事です。そのことを念頭に置いて読み進めてください。

そして、あなたのたましいの声に耳をすませてください。

ワーキング・スピリチュアリズム　8つの法則●●●

スピリチュアリズムの8つの法則は、あなたが幸せな人生を送るためのちょっとした心構えです。そして、仕事をしていくときにも必要な考え方です。

仕事がうまくいかないとき、やりがいを見いだせないとき、何をやりたいのかを見失っているときはもちろん、仕事が順調にいっているときでも、常に心に刻んでおいてください。きっと、あなたの支えになってくれるはずです。

《スピリットの法則》……私たちはみなスピリットの存在です

私たちがこの世に生まれてきたのは、たましいを成長させるためです。

私たちは肉体だけの存在ではありません。肉体とたましい（スピリット）が折り重なって生きています。この世でさまざまな体験をし、喜怒哀楽を含むいろいろな感動を得ることによって、たましいを磨くことが、私たちの使命です。

楽しいことも、つらいことも、すべてが「学び」です。

とりわけ仕事の場では、たましいを磨く経験がたくさんできます。失敗したり、上司や同僚との人間関係で悩んだりする、そのすべてに意味があります。

苦しいときほど、そこから何を学ばなければいけないのかを常に考えてください。そうすることで、たましいが磨かれ、輝きはじめます。私たちが仕事をする本当の目的は、そこにあるのです。

現世での学びを終えて、故郷であるスピリチュアル・ワールドに帰るとき、持っていけるのは仕事で得た地位やお金ではありません。経験と感動によって豊かに成長したスピリット、ただそれだけなのです。

《ガーディアン・スピリットの法則》……私たちはみな見守られている存在です

あなたのたましいの成長をあたたかく見守る存在、それがガーディアン・スピリット（守護霊）です。どんな人にも必ずガーディアン・スピリットは存在します。この世でひとりぼっちの人、見守られていない人は誰もいないのです。

ただし、このスピリットは、あなたの望みをなんでもかなえてくれる魔法使いではありません。あなたを成長させるために、あえて試練を与えることもあります。けれど絶体絶命というときは、必ずあなたを守り、導いてくれるのです。

もしあなたがネガティブな思いで心を曇らせていれば、このスピリットのサポートは受けられません。反対に、いつもポジティブに、感謝の心を忘れなければ、より多くのサポートが受けられるようになっているのです。

仕事で行き詰まりを感じるときは、まず自分にできる最大限の努力をしたうえで、「私に必要な学びができるよう、お導きください」と心から祈ってください。そのとき、ガーディアン・スピリットとプラグがつながります。あとは「お任せします」というゆったりとした気持ちでいればいいのです。何が起きても、そこから学ぼうとする気持ちを失わない限り、あなたが見捨てられることは決してありません。

サポートの質と量を決めているのは、あなた自身であることを忘れないでください。

《グループ・ソウルの法則》……私たち自身も誰かを見守る存在です

スピリチュアル・ワールドでは、スピリットたちはいくつもの集団になって存在しています。その一つひとつをグループ・ソウルと呼びます。あなたもどこかのグループ・ソウルの一員です。

水の入った一杯のコップを想像してください。これをグループ・ソウルだとすると、あなたはその水の中の一滴です。その一滴がコップから飛びだし、現世へと生まれてきたのです。現世でたましいの曇りを磨き、より浄化させて戻ってくると、コップの水も少し浄化されます。そうやって現世への再生を何度もくり返し、より透明な水になっていくわけです。このグループ・ソウルの中に、あなたを見守り、サポートしてくれるガーディアン・スピリットの存在もあるのです。

《ステージの法則》……私たちは成長と上昇を続ける存在です

この世で仕事をしたり、恋をしたりして経験と学びを積んだあなたは、やがてスピリチュアル・ワールドへ戻ります。たましいの濁りを少しでもとることが使命なのですが、完全に曇りのない、美しいたましいにはなかなかなれません。それは、イコール神（グレート・スピリット）になるということだからです。神とは、すべての宇宙をつくり、慈しむ、大いなる存在といってもいいでしょう。

そこに至るまでには、さまざまな段階があります。この世での学びを終えたとき、どのレベルの階層に進めるかは、その人の学びの質によって決まります。

失敗に挫けず、進んでさまざまな体験をし、深く広く人を愛することを学んだたましいは、より高いステージへと進んでいきます。不満や愚痴をいうだけで、学びの少なかったたましいは、低いステージにとどまるのです。

仕事をするとき、心のどこかにこの法則を刻んでおいてください。ステージを決めるのは、仕事の結果や業績ではありません。前向きに努力して仕事をすることで、たましいがどれだけ深く学び、輝いたかということなのです。

《波長の法則》……よいことを思えば、よい結果・よい出会いが訪れます

あなたが何かを心に強く思うとき、その思いはエネルギーを生みだします。それは波長となって、あなたの周囲のすべてに大きな影響を与えるのです。

人の心が発する波長は、同じ性質の波長のものを引きよせるという法則があります。これが「波長の法則」です。「類は友を呼ぶ」ということわざと同じです。

あなたが前向きに仕事に取り組み、笑顔で職場の仲間と接するとき、その高い波長

は必ず同じ波長を引きよせます。仕事がうまく流れるようになり、人間関係もスムーズに運ぶようになるのです。

反対に、あなたの波長が弱かったり、嫉妬や恨みなどのネガティブな感情で低くなっていたりすると、それもまた同じように弱く低い波長を呼びよせます。あなたの仕事を妬む人や、足を引っ張る人があらわれてしまうのです。

いい仕事をするためには、ポジティブな波長を出すことが絶対に必要です。そのためのポイントは三つ。「思い」「言葉」「行動」です。このすべてを明るく、前向きにしていれば、波長は高まります。高い波長は必ずいい結果を運んでくるのです。

《カルマの法則》……自分のしたことはいいことも悪いこともすべて自分に返ってきます

自分のしたことは、いいことも悪いことも、すべて自分に返ってくる。これが「カルマの法則」です。

たとえば、人の仕事の成果を妬むという行為はマイナスのカルマになります。いつか自分も人に妬まれることになるでしょう。反対に、いつも人の役に立つことを考え、サポートをしていると、自分も必ず支えてもらえるのです。

人に妬みや憎しみを感じたときは、すぐに心の中でそんな自分を反省し、「ごめんなさい」と謝罪する気持ちに切り替えてください。そうすれば、マイナスのカルマは解消されます。

そして、いつもいいカルマを積むことを考えましょう。何気ない笑顔ひとつでも、それはプラスのカルマとなるのです。

「波長の法則」と「カルマの法則」は、スピリチュアリズムの二大法則です。現世はこの二大法則にしたがって動いています。いいかえれば、自分に起こるすべてのことは、自分の責任だということです。

これは決して恐ろしい法則ではありません。この法則があるからこそ、私たちは自分の間違いに気づき、学ぶことができるのです。私たちのたましいを磨くために与えられた、愛の法則だといえるでしょう。

《運命の法則》……宿命は変えられません。けれど運命は変えられます

宿命と運命は違います。宿命とは、性別や国籍、家族、容姿など、生まれる前から決まっていて、自分の力で変えることはできないものです。ケーキにたとえると、ス

ポンジの部分が宿命です。一方、運命はデコレーションの部分です。自分の力で変えられるものが運命なのです。

仕事をしていると、さまざまな人と出会います。誰と出会うかは、宿命です。縁のない人とは出会えません。けれど、出会った人と、どういう関係を築いていくかは運命です。自分の力で、どんなふうにも切り開いていくことができるのです。

運命を切り開くために必要なのは、まず宿命を受け入れることです。

あなたの周囲にいる宿命的に出会った人たちを、まず受け入れてください。そしてどうやっていい関係を築いていくかを考えましょう。宿命を受け入れず、出会った人を嫌うだけでは何も変わりません。

出会いという宿命を受け入れ、そのすべての縁を大切に育てていける人が、仕事仲間に恵まれ、いい仕事をしていけるのです。

《幸福の法則》……うれしいことも嫌なこともすべてがあなたに必要な感動です

幸福とは、最初から仕事がすべて順調で、仲間にも恵まれていることではありません。うれしいこともつらいことも、あなたに必要な経験なのです。私たちのたましいは感動を重ねることでしか磨かれません。仕事の失敗や挫折もひとつの感動です。上司や部下、取引先との人間関係で悩むことも、大切な体験なのです。

ですから、そういった一見「不幸」と思える経験から、決して逃げようとしないでください。たとえ逃げることができたとしても、同じことです。たましいの課題を乗り越えられない限り、また同じことがくり返されるでしょう。

経験から学ぶことができて初めて、次のステップへと進めます。

そして、じつはそれこそが私たちの本当の「幸福」なのです。

より深く人を愛し、社会に奉仕できるようになったたましいは、より深く人に愛され、支えられるようになります。与えることができて、初めて与えられるのです。

仕事でもプライベートでも、マイナスの経験、つらい経験をすることを恐れないでください。それはあなたが本当の幸福を得るための大切なステップなのです。

ここで挙げた法則を心に刻んでいれば、何があっても必ず乗り越えることができます。あなたは見守られている存在です。それを忘れずに、本当の幸福に向かって力強く進んでいきましょう。

Step 1

自分が本当にやりたいこと、わかっていますか？

☼ 出会いを大切にしていますか? 仕事のチャンスは「人」を通してやってきます

やりがいのある仕事をしたい。

もっと実力をつけて、大きな仕事にチャレンジしたい。

誰しもがそう願っているでしょう。そのためには、チャンスを呼び込む力と、きたチャンスを生かしきる力が必要です。

そして、そのコツはただひとつ。

出会った人を大切にすることです。

仕事のチャンスは、すべて「人」からもたらされます。今までの仕事を振り返っても、それ以外からチャンスがくることはほとんどなかったのではありませんか?

ですから、やはり人との出会いは多いほうがいいのです。

けれど残念ながら、私たちは縁のない人とは出会えません。生まれながらに誰と出会うかは決まっています。いい人であろうが、悪い人であろうが、出会う人はすべて縁のある人なのです。

ただし、すべての人と縁が深まるわけではありません。どの人と縁を深めていくかはあなたしだい。あなたがその人にどんな気持ちを持ち、どんな言葉をかけ、どんな態度をとるか。それによって、縁がしぼむこともあれば、花開くこともあるのです。

では、いい縁を花開かせるにはどうすればいいでしょう。

自分のしたことは、いいことも悪いことも、すべて自分に返ってきます。これはスピリチュアリズムにもとづいた幸せな人生を送るための法則のひとつ、「カルマの法則」です。

常に相手のことを考えて、思いやりを持って接すれば、その縁はすくすくと育ちます。反対に、自分の利益だけを考えて、相手を利用しようとしたり、傷つけたりすれば、その縁は枯れていきます。

たとえば「チャンスがほしいから、この人とつきあおう」と考えていては、縁の花は咲きません。「この人をどう利用できるだろうか」という打算的な目で相手を見ると、相手も同じ目であなたを見るからです。

反対に、その人がすてきだから、おもしろいから、尊敬できるから、つきあう。そんなふうに思っていると、相手もあなたの人間的な魅力にひかれてつきあうようになるでしょう。そのとき初めて縁はすくすく育ち、二人の間に本当の絆が生まれます。仕事のチャンスは、そういう「本当の絆」を通してやってくるのです。

また、あなたの中に「こういう人であってほしい」という欲があると、相手の本当の姿が見えてきません。「こんな人だと思わなかった」とガッカリして、せっかくの縁が枯れてしまうことにもなりやすいのです。

そうならないためには、欲や先入観を捨て、曇りのない目で相手を見つめること。そして言葉だけでなく、何気ないしぐさや行動などから、その人があなたに向かって発しているメッセージをきちんとくみとることが大切です。そんなふうに接していると、長続きするいい縁が育めるのです。

くり返しますが、出会った人は、すべて縁ある人です。

プライベートだけでなく、仕事の人間関係もあなたの人生に用意された大切な「出会い」です。いい関係が築ければ、そこから得るものは大きいでしょう。「どうもいまひとつだな」という関係でも、必ず何か学べることはあるのです。

それを忘れずに、どんな縁も大切に育ててください。

そうすれば、たとえ悪い縁であっても、いい縁に変えることが必ずできます。

今まで人とのかかわりをおろそかにしていたという人は、もう一度、自分の人間関係を見つめ直してみましょう。そして、どんな人にも思いやりと愛を持ち、笑顔で接してください。

最初は難しいかもしれません。けれど、そうしようと考えている人と、まるで考えていない人では、結果がまったく違います。今すぐにははっきりした影響はあらわれなくても、一年後、三年後、五年後には、大切に育んだ縁から、必ず仕事のチャンスが生まれるからです。

出会う人はすべて神様。毎朝、そう口に出していってみましょう。

そうすれば、仕事運は引きよせられます。

自然にチャンスが転がり込んでくるのです。

☼「こうなりたい自分」を描くことは、仕事を楽しんでやる一番効果的な方法です

あなたは、仕事でかなえたい夢を持っていますか？

こうなりたいという夢は、私たちにパワーを与えてくれます。これといった夢もなく仕事をしていると、しだいにやる気がなくなっていくでしょう。それは、たましいが枯れかかっているというサインです。夢こそ、感動の源です。たましいを大きく成長させる原動力になるものなのです。

けれど、なかには夢を描くことが苦手な人もいます。とりたててやりたいことも見つからないし、得意なこともあまりない。だから夢なんて私にはない。そういう人は、夢とは壮大なものでないといけないと思い込んでいるのかもしれません。有名女優になるとか起業して長者番付に載るといった、大きなことでなくてもいいのです。まずは日常的な仕事の中で、あなたが本当にやってみたいこと、かなえたいことを思い描いてみてください。どんな小さなことでもかまいません。

たとえば、一年後にはこれぐらいの仕事はできるようになっていたい、何か仕事に役立つスキルを身につけていたい、といった自分なりの目標を持っておきましょう。そのとき、一年後、三年後、五年後……というように時間を区切って考えておくことがポイントです。すると成果がそのつど確認できるので、達成感が味わえて楽しくなります。軌道修正もしやすいので、実現しやすくなるのです。

また、自分の立場だけから夢を考えるのではなく、会社の立場から見て、あなたがどうなっているのが好ましいか、という視点も大切です。

一年たったときに、これぐらいの仕事はできるようになっていないと会社にとっては損失だろう。そういう冷静な目で、自分の将来を設計しておくことが、毎日のハリにつながります。

一年後を思い描いたとき、どんな自分になっていたいか。その姿が見えてきたら、さっそく今日から準備を始めましょう。実務的な資格をとるなど、やるべきことは見えてくるはずです。

「資格なんて持っていても意味はない」と考えている人もいますが、そんなことはありません。やはり資格はないよりあるほうがいいのです。

たとえば運転免許ひとつにしても、雇用する立場から見ると、持っている人のほうが使いやすいでしょう。ペン習字などの特技も、意外なところで役に立ちます。無理をする必要はありませんが、自分にできることを広げておくのは、とてもいいことです。

仕事のヴィジョンを描くと同時に、プライベートでも、一年後、三年後、五年後にどうなっていたいかを考えておくことは大切です。

たとえば、どんなパートナーと一緒にいて、子どもは何人ぐらいで、どんな家に住んでいるのか。どんな趣味を持ち、どんなところに旅行に行っているのか……。計画どおりにいくとは限りませんが、かといって何も計画を持たないでいると、かなうはずの夢もかなわなくなります。経験できることも限られてしまうでしょう。それはもったいないことです。

たとえるなら、行き先のはっきりしたバスと、まったく行き先のわからないバス、どちらを選ぶかということです。

行き先のわからないバスだと、つまらないところに連れていかれてしまうかもしれません。思わぬ事故にあう可能性もあります。

行き先のはっきりしたバスに乗りましょう。その行き先は、自分で決めるのです。目的地を変更せざるをえない場合もありますが、それでも、そのつど、行き先のプレートは自分できちんと掲げてください。

それが、仕事を楽しみながら、人生を幸せに旅するコツなのです。

☼「天職」と「適職」、その違いを知ることが、仕事に幸せを感じるための第一歩です

自分に合う仕事がわからない、見つからないと悩む人はたくさんいます。けれど、心配することはありません。最初に書いたように、あなたに合う仕事は必ずあります。誰でも必ず仕事で幸せになれるのです。

「仕事」について考えるとき、まず知っておいていただきたいのは、自分に合う仕事には二種類ある、ということです。それは、「天職」と「適職」です。

「適職」とは、あなたが生まれつき持っている資質の中で、「お金を得ることができる技能を生かした職業」のことです。たとえば、「私は気配りすることが得意」という人がサービス業に就いた場合、それは「適職」になるでしょう。「私は手先が器用」という人が畳職人になって、いい畳をつくれば、それも「適職」です。

ただし、その仕事をすることに、100パーセントの喜びを感じられるかどうかは、また別の問題になります。これについては、あとで詳しく説明しますが、人にサービ

スはできても、本当は人づきあいが好きではないという人もいるし、畳づくりが上手でも、できた製品に愛着はないという人もいるでしょう。けれど、人にお金を払ってもらえるだけの仕事が確実にできるなら、それは「適職」なのです。

一方、「天職」はお金とは関係ありません。自分のたましいが喜ぶ仕事、たとえば、好きで好きでたまらないこと、放っておくと時間がたつのも忘れて没頭できるようなことです。そして、その中で自分の理想をとことん追求できるし、お金にはならなくてもその仕事を通して多くの人に役立つことができる。それが「天職」なのです。

私たちのほとんどは「あこがれの天職」に就き、その仕事でバリバリ稼いで、いきいきと暮らせれば、どんなに幸せだろうと思っています。「天職」を求めて、「転職」をくり返す人もいるでしょう。けれど、ちょっと厳しい言い方かもしれませんが、天職だけでは私たちは幸せにはなれません。なぜなら、天職だけでは食べていけないからです。

私たちには「天職」と「適職」、両方が必要なのです。

「適職」だけだと、お金は得ても、たましいが満足しません。喜びのない殺伐とした生活になってしまうでしょう。一方、「天職」だけだと、喜びはあっても、食べていくためのお金は得られません。経済的に誰かに依存している状態が続くと、やがてはたましいの喜びも枯れていくでしょう。つまり「天職」と「適職」は、車の両輪なのです。

同じ大きさの車輪二つが回っているからこそ、車は前に進みます。どちらかひとつが大きすぎたり小さすぎたりすると、同じところをグルグル回るだけ。未来に向かって進むことはできません。

まず、このことをしっかり心に刻んでおいてください。そして、あなたにとっての適職は何で、天職は何なのか、じっくりと考えてみましょう。

その二つのバランスがうまくとれていることこそが、「仕事に幸せを感じる」ための第一歩なのです。

自分に「一番合う仕事」はあなたのたましいが知っています

生まれながらに得意なこと。無理をしなくてもスムーズにできること。それは誰にでもあるはずです。それが「適職」につながります。

「今の仕事が自分に合わない気がする」「私にはもっと違う仕事が合うのではないか」という悩みをよく聞きますが、それは適職を天職と分けずに、適職の中に生きがいや使命感まで求めているからです。

先の項でも書いたように、適職は自分の技能を生かせる仕事。天職はたましいが喜ぶ仕事です。

「適職」＝「自分に向いた仕事」を見つけたいときは、生きがいや使命感はひとまず脇に置いて、自分の「技能」だけを客観的に見る目が必要です。

たとえば経理の仕事なら、計算が得意かどうか、一日中お金の計算をしていても苦にならないかどうか。そこに焦点をしぼって判断すればいいのです。

そのためには、自分自身がよくわかっていないといけません。何が得意で、何が不得意か。できることは何で、できないことは何か。つまり、自分が持って生まれたたましいの性質を自分の目で見極める必要があるのです。

どうしてもわからない場合は、幼い頃、自分は何で人にほめられたか、夢中になっていたものは何かなどを思いだすと見えてきます。拙著『〝幸運〟と〝自分〟をつなぐスピリチュアル　セルフ・カウンセリング』（三笠書房《王様文庫》）はそのために書きましたので、参考にしてみてください。

また、仕事は実際にやってみないとわからない部分もありますから、学生時代にいろんな種類のアルバイトをしてみることもお勧めします。アルバイトには、小遣い稼ぎだけではなく、職業選択のために必要な社会見学という意味もあるのです。

その仕事をしているとき、自分がどう感じたかをきちんと意識する習慣をつけておくと、なおいいでしょう。

また、仕事を選ぶうえで、人から見て「カッコいい」と思われる仕事に執着していないかどうかは、きちんとチェックしましょう。

たとえば、自分は本当は体力勝負のガテン系の仕事が得意だけれど、華やかに見えるマスコミ業界のほうが親戚や友だちに自慢できる。そんなふうに考えて選んでも、うまくいきません。世間体がいい仕事をしていても、それが自分のたましいの性質に向いていなければ、生きるエネルギーはわいてこないのです。

また、自分では「この仕事が好き」と思い込んでいても、本当はただ人気の職業だからしがみつきたいだけ、という場合もあります。そんなときはいくら努力しても技能が上達しないので、苦しむことが多いのです。

そうならないように、まずは曇りのない目で、自分の持って生まれた資質を素直に見つめましょう。そして、たとえカッコ悪くてもいい、私はこの技能だけは人に負けない、と思える仕事を「適職」として選んでください。

本当の意味での幸せを手に入れられるのは、世間の評価に惑わされず、自分の心の声に正直に生きられる人です。それは、たましいに力のある人なのです。

☼自分にとっての「天職」がどうしても見つけられない人へ

自分ができることの中で、人の役に立つこと、それが天職になります。

こういうと、「そんな立派なこと、私にはできない」と思う人もいるかもしれません。けれど、難しく考えないでください。自己犠牲的な、人の喝采を浴びるようなことだけが天職ではないからです。

たとえば、カレーをつくるのが好きなら、徹底的にカレーを究めてみましょう。でも次のステップとして「じゃあ、カレー屋を開こう」という方向にいくと、お金を稼ぐための仕事となるので、天職から遠ざかっていきます。

そうではなく、たとえばどこか場所を借りて、恵まれない子どもたちに無料で食べてもらう会を開いてみたりすると、そこに純粋な喜びが生まれるでしょう。これが天職です。カレーづくりも天職になるのです。

どんなことでも、工夫しだいで天職になります。自分には何ができるだろうと、一度、真剣に考えてみてください。

そのとき、気をつけてほしいのは、自分のオリジナリティを大切にするということ。人の体験を参考にするのはかまいませんが、そのままマネをしても実になりません。「オンリーワン」であるあなたらしさを生かすことこそが、天職への近道です。

枠にとらわれず、豊かな発想力で、柔軟に考えてみましょう。

たとえば、絵を描くのが好きだけれど、プロになるほど上手ではないという人でも、描き続けていれば「味のある」絵が描けるようになっていきます。味わいが出てくれば、それを絵葉書にして、チャリティに出せるようにもなるでしょう。

また、特に好きなことも得意なことも見つからないという人は、第一段階として、今の仕事の中にも「天職」の部分がないかどうか、を考えてみてください。

たとえば、「私は後輩の女の子からよく仕事の相談をされる」という人なら、その相談に快くのってあげることも「天職」です。「そんな簡単なことが？」と思われるかもしれません。けれど、みんなで楽しく気持ちよく仕事ができるような雰囲気をつくれる人がいないと、職場は殺伐としてしまうでしょう。相談されやすいということは、頼りがいのある親しみやすいキャラクターだということ。そのたましいの性質を生かせば、人に喜ばれ自分もうれしい素敵な「天職」になるのです。

また、結婚して家庭に入った女性の場合、家事は「適職」です。でもそれだけでは、たましいが満足しない場合もあるでしょう。そのとき、家事の中でもたとえば収納を工夫することが大好きなら、それを思いきり究めてみるのもいいでしょう。そこに楽しみが見いだせれば、それが「天職」です。

そういう喜びがあれば、ほかの家事も楽しくこなせるようになるし、将来、子どもの手が離れたときは、収納アドバイザーとしての道が開けるかもしれません。たとえプロにはなれなくても、友人やひとり暮らしを始めた若い人たちにアドバイスをしてあげることはできるようになるでしょう。

こんなふうに、適職の中にも、探せば必ず天職はあるのです。

適職とはまったく異なる天職。あるいは、適職の中にある天職。どちらでもかまいません。探せば必ず見つかります。今まで見つからなかったのは、探そうとしなかったから。ただそれだけなのです。

仕事と恋愛・結婚……あなたが一番望む生き方はどんな形ですか？

仕事は大事だけれど、恋もしたいし、結婚もしたい。

多くの女性は、そう思っているでしょう。

けれど、仕事が恋や結婚の障害になるということはまずありません。仕事に夢中になったせいで、彼とのすれ違いが多くなり、別れてしまったという人もいますが、それは仕事のせいではなく、二人の間の愛が足りなかったからです。

スピリチュアリズムでは、恋愛は、人が自分以外の他人を愛するようになるための大切なレッスンだと考えます。仕事と同じように、感動を味わうため、たましいを成長させるための大切な課題なのです。

ですから恋はたくさんしたほうがいいと思います。別れを経験することも大切です。なぜその愛が続かなかったのか、それを考える中に、深い学びがあるからです。そのとき、仕事を言い訳にすると、本当の理由を見失ってしまいますから気をつけましょう。

一方、結婚は忍耐を学ぶレッスンです。二人の絆をより深め、家族を守っていくためには、恋のときめきだけではなく忍耐が必要です。結婚生活の中で、それを学びなさいということです。ですから、「この二人は、結婚することでより多くの学びができる」とお互いのガーディアン・スピリットに認められたとき、恋から結婚へいたることになります。

つまり、恋をすることも結婚をすることも、仕事と同じように大切なことなのです。決してどちらかひとつを選ばなくてはいけない、ということではありません。

ただ、人それぞれたましいの課題は違います。あなたのたましいが本当に求めているものは何か、ということは、正しく見極めるようにしてください。

大切なのは、あなたがたましいの声にしたがって、自分の生き方を決めるということです。

人にはそれぞれ、向き、不向きがあります。

会社でキャリアを積むことに向いている人もいれば、家庭に入って子どもを育てることに向いている人もいます。割り切りが上手で、両方をこなすことに喜びを感じる人もいるでしょう。

それは、それぞれのタイプが違うというだけのこと。決して優劣ではありません。

優劣だと思い込んでいると、自分の本当のタイプが見抜けなくなります。たましいの声は「仕事をしたい」といっているのに、専業主婦になることが女性の幸せだと思って家庭に入ってしまったり、反対に、家庭に落ち着くことに喜びを感じるタイプなのに、無理をして働きつづけたり。どちらも幸せにはなれません。

夢の形は、じつにさまざまです。

仕事でかなえる夢もあれば、家庭でかなえる夢もあります。ひとつの夢に縛られる必要はないのです。

夢とはもっと自由なもの。心の底から楽しめるものです。

その夢に、一番ふさわしいステージを選びましょう。

会社で働いてもいいし、フリーで働いてもいい。結婚をしてもいいし、しなくてもいいのです。子どもを産むかどうかも同じです。

どの道を選んでも、それぞれに乗り越えるべき課題があります。その中で私たちのたましいは磨かれていきます。

人の目を気にしたり、世間の声に惑わされたりする必要はありません。

大切なのは、あなた自身が、心から幸せを感じられる夢であるかどうかです。

その視点で、もう一度、仕事と恋、そして結婚を見つめ直してみてください。また別の選択肢があなたの前に広がってくるかもしれません。

Step 2

毎日のちょっとしたことにも、大切な「気づき」は隠されています

✿ガイド・スピリットは、いろんな方法で、あなたにメッセージを伝えています

「なんだかやる気が出ない」「仕事に行きたくない」

そんなふうに思ってしまう日は誰にでもあるでしょう。人間にはバイオリズムがありますから、どうしても気力がわかないときがあるのは仕方がありません。けれど、いつまでも気力がわかない状態が続くときは、必ず何か原因があります。

たとえば、人生の変わり目や大きな節目に近づいているとき。

そんなときは、なぜか仕事をする気力がわかず、眠くて仕方がなくなることがあります。人は眠っているとき、たましいのふるさとであるスピリチュアル・ワールドへ里帰りをしています。そこでガイド・スピリット（指導霊）からさまざまな知恵を授けられているのです。

睡眠時間はいわば人生の作戦タイムのようなもの。眠くて仕方がないというときは、次の人生のステップに向けて、たっぷりと時間をかけて準備をすることが必要な時期

です。

そういうときは我慢せずに、ぐっすりと眠りましょう。時期がくれば、必ず大きな転機が訪れます。体を休めて、それを待てばいいのです。

また、仕事が忙しすぎたりすると、フッと気力が途切れることがあります。そんなときは、ともかく休むことが第一です。有給休暇をまとめてとってもいいでしょう。それが無理なら仕事を少し減らして、体を休めることです。やるべき最低限のことはきちんとこなしたうえで、ときには「手を抜く」ことも必要です。

現実に何か問題があって気力がわかないというときは、まずはその問題を個別に解決していかなくてはいけません。

たとえば仕事上での失敗がトラウマになって、気力が萎えてしまう場合もあります。取引先との商談が流れて、大きな損失を出したりしたときなど、落ち込まない人はいないでしょう。けれど、いつまでも失敗にとらわれていてはいけません。仕事の失敗は、自分の力で「成仏させる」しかないのです。

それだけではありません。失敗というのは、「次のチャンスがきていますよ」というメッセージでもあるのです。そのときに備えて実力を蓄える時期だと考えましょう。

どうしてもそうは思えない、立ち直れないというときは、心の中に淋しさを抱えている場合が多いものです。「わかってくれる人がいない」という淋しさです。そのため、たましいが萎縮して、家に引きこもってしまうケースもあります。

けれど、わかってくれる人は必ずいます。自分がそれに気づいていないだけです。わかってくれる人を探そうとしていないだけなのです。この世で、ひとりぼっちの人は誰もいません。みんな見守られている存在です。

たとえ周囲に友人も家族も誰もいないという人でも、たましいの親は必ずいます。私たちはみんなそれぞれのグループ・ソウル（たましいの家族）とつながっているのです。その家族はガーディアン・スピリットとなって、いつもあなたを見守り、応援してくれています。

ところが、心にネガティブな思いがわき起こると、そのサポートを受けとれません。曇りの日には太陽が見えないように、ガーディアン・スピリットとのつながりを見失ってしまうのです。けれどどんなときも太陽はあります。そのあたたかさをいつも忘れないでください。

まず「淋しい」という思い込みを捨てましょう。そして、人の中に出ていきましょう。厳しいようですが、自分の力で立って歩こうと決めないと、淋しさはなくなりません。ほかの誰でもない、あなたがそれを決めなくてはいけないのです。

じっくり自分と向きあって、今の無気力な状態がどのケースなのかよく考えてみてください。やる気がわかないのは、「今、その気づきが必要ですよ」というガーディアン・スピリットからのメッセージでもあるのです。

☼ 心の中で考えていることは必ず相手に伝わります
それは仕事そのものにも影響します

ステップ1でお話ししましたが、本来、仕事には二種類あります。「適職」と「天職」です。私たちが普段「仕事」と呼んでいるのは、「適職」のほうです。これは、基本的に自分が生きていくため、やりたいことをやるために必要なお金を得る仕事です。

適職として選んだ仕事が楽しくて仕方がないというのであれば、それはとてもすばらしいことです。けれど、どんなに楽しい仕事でも、ときには落ち込むような出来事があったり、自分の実力がついていかずに悩むこともあるでしょう。なかには、仕事にまったく楽しみを感じられないという人もいるかもしれません。

確かに、毎日長い時間を費やしている仕事ですから、そこにやりがいを見いだせなかったり、不満があったりするとつらいでしょう。けれど、そんなときこそ、謙虚な心を忘れないでください。

謙虚な心というと、説教じみているると感じるかもしれませんが、もう一度考えてみてください。適職とは、あくまであなたが毎日を生きていくための仕事。天職で喜びを得るために、どうしても必要なお金を生みだしてくれる仕事なのです。

そう考えると、「働かせてもらっている」「お金を稼がせていただいている」という気持ちがわいてくるのではないでしょうか。

多くの人が「この不景気に、仕事があるだけでもありがたいよね」といいます。けれど、ほとんどの人は、自分を慰めるために口先だけでいっているように思います。心の奥には「そう思って我慢しよう」という思いが隠れています。

じつは、そういう気持ちで仕事をするのは、とても不幸なことなのです。

働いて、お金を稼がせてもらえる。その幸せは、仕事を失って初めて身にしみてわかるものなのかもしれません。けれどそうなる前に、謙虚にその職場で働ける幸せをかみしめてください。

「ここで働けてありがたい」と心から思えるようになると、毎日が変わってきます。どんな仕事でも、喜びや楽しさが感じられるようになるのです。

また、仕事の楽しさと直接的にかかわってくることに、職場の人間関係があります。

職場の人間関係がギスギスしているために、仕事が楽しくないという場合もあるでしょう。お互いを思いやりあいながら、和気あいあいと仕事ができれば、仕事の内容に多少の不満はあっても、みんなで頑張っていこうという気持ちになるものです。

職場の雰囲気をなごやかにしたい、いい人間関係を築きたいと思うとき、まず必要なのはお互いの心のゆとりです。

たとえば、少し仕事量が増えたとき、ゆとりがないと「どうして私だけ?」「あの人はサボってるじゃないの」というネガティブな感情が生まれるでしょう。それはたとえ口にしなくても、必ずまわりに伝わります。反対に、ゆとりがあれば、「これぐらいはまあいいか」「次は交替してもらおう」と思って、ニッコリと引き受けることができます。その穏やかで優しい感情も、必ずまわりに伝わります。

一人がニコニコ笑っていると、みんなが笑顔になるのです。これは「波長の法則」です。「類は友を呼ぶ」ということで、同じ波長のものが引きよせあうのです。

人の心の持ち方は、目には見えません。けれど、決してあなどらないでください。気持ちが生みだす波長の高低は、必ず表情やしぐさ、言葉や態度にあらわれます。それが、同じ波長のものを呼びよせるのです。

楽しく、ポジティブに仕事をしたいと思うなら、まずあなたが笑顔で職場に行きましょう。心にゆとりを持って、おおらかな気持ちで職場の仲間と接してください。そこは、あなたが生きるために必要な大切な場所。たくさんの気づきと感動を与えてくれる、すてきなフィールドなのです。

☼この感性を持っている人は嫌な仕事でも「楽しむ」ことができます

「毎日、同じルーティンワークでつまらない」

「もっとクリエイティブな仕事がしたい」

こんなふうにいう人はたくさんいます。

もし、あなたがすでに自分の天職を見つけていれば、そういう悩みは出てこないはずです。というのは、天職がしっかりしていれば、適職は毎日同じようなことをくり返していればすむ仕事であるほうが自由な時間がとりやすいので好都合だからです。

そんな仕事でむしろラッキーなぐらいです。

ルーティンワークに不満を持つ人の多くは、天職と適職を一緒にしているところがあります。けれど、クリエイティブでワクワクする仕事は、適職とは別に天職として求めるほうがいいのです。

「私は今の会社の中でクリエイティブな仕事をして、それを『適職の中の天職』にしたい」と思う場合もあるでしょう。そのほうが、単調な仕事よりもやりがいがありそうに思えるかもしれません。

確かに、適職を少しでも楽しくしようとするのはいいことです。ただし、「クリエイティブな仕事」は、誰かが与えてくれるものではありません。自分で「仕事をつくる」覚悟で探すものです。その仕事があなたに向いていて、実力が周囲に評価されれば、しだいに適職として身についていくでしょう。

もし、努力しても望みの仕事に就けなかったら、それが答えだと考えたほうがいいでしょう。「クリエイティブな仕事をしたい」という思いは、適職ではなく、天職でかなえるほうがいいということです。

また、適職でも天職でも同じですが、仕事は相手がなければできません。どれぐらい相手のことを思えるか、その点が重要なのです。

天職の場合は、「相手のたましいが喜ぶこと」をすればいいのです。それが自分のたましいの喜びにつながります。一方、適職の場合は「この仕事で、会社や社会がどう喜ぶか」ということを考える必要があります。

「クリエイティブな仕事をしたい」というとき、多くの人は、「自分のため」を思っています。自分を表現したい。わかってほしい。そういう思いが根底にあるのです。けれど、冷静に考えてみてください。そういう個人的な願いをかなえるために、会社がお金をかけるでしょうか。

その人のクリエイティビティが社会に受け入れられ、多くの人を喜ばせ、ひいては会社に利益をもたらす。そういう結果を出すためになら、会社はお給料を払うでしょう。一社員の遊び心に「よし、やってみろ」とゴーサインが出るのは、それが社会の喜びにつながり、利益を生む場合だけです。

会社が利益を生み、生き残っていくのは本当に厳しいことなのです。その厳しさを知ったうえで、自分の働き方を決められる人が、大人です。そういう大人の感性を持った人こそが、仕事で幸せになれるのです。

なぜだか頑張りすぎてしまうとき、あなたに思いだしてほしいこと

職場でも充分に評価され、社会的にも成功しているのに、不安で仕方がないという人がいます。仕事の実力は申し分ないのに、本人は幸せを感じられない。まわりの人に「あなたは優秀だね」といわれても信じられない。

その原因は、過去のトラウマにあることが多いようです。

たとえば経済的に恵まれない家庭で育った場合、成功して大金が手に入っても、またあの悲惨な暮らしに戻るかもしれないという思いが生まれて、心が休まらなかったりします。

また、家庭の中で、兄弟姉妹と比較され続けて育った人も同じです。両親に認められたいがために、頑張って仕事をして成果を出すのですが、それでもまだ足りない、まだ負けていると思って満足できないのです。

あるいは、何か別の仕事で評価されなかった経験がある場合、今、評価されている

仕事を失うのが怖くて、不安で仕方がなくなることもあります。

いずれも、成功を喜べないだけでなく、体を壊すまで働くワーカホリックになる可能性が高いのです。自分ではそこまでやるつもりはないのに、無意識のうちに頑張りすぎてしまう。けれど、いつまでたっても「幸せ」は感じられない。それが高じると、「そもそも幸せって、何だろう？」と、その価値さえわからなくなってしまうこともあります。

うまくいっているのになぜか不安……という人は、まず、いったいなぜ成功を喜べないのか、不安で仕方がないのか、その理由をじっくり考えてみてください。

必ず、何か思い当たることがあるはずです。それは、あなたが持って生まれた課題かもしれません。人はスピリチュアル・ワールドから現世に生まれてくるとき、たましいを磨くための課題を自分で選んでくるのです。それを乗り越えることが、私たちが生まれてきた意味であり使命だといえるでしょう。

あなたがポジティブに自分の課題を乗り越えようとするとき、必ずガーディアン・スピリットのサポートが得られます。ですから何も恐れる必要はないのです。けれどネガティブな気持ちのまま、自分で立ち直ろうとしないと、そのサポートは得にくくなります。

自分を見つめてトラウマに気づいたら、まずそれを自分の力で乗り越えると心に決めてください。そして、できれば心を許せる友だちやパートナーにその話をしてみましょう。あなたを理解してくれる人は必ずいます。その人たちに認められることによって、心の傷は少しずつ癒えていくでしょう。

人が仕事をするのは、評価されるためでも、不安から逃れるためでもありません。自分が幸せになるためなのです。自分が幸せになって初めて、人を幸せにする、本当にいい仕事ができるようになるのです。

☼ 仕事と恋愛は似ています いかに相手を大切に思うかがうまくいく秘訣です

仕事に対して「自信がない」「私なんかダメ」という人は、驚くほどたくさんいます。

この「自信がない」という態度は、一見、謙虚に見えます。厳しい言い方ですが、じつはそれは傲慢な態度です。私たちは、みんな落ちこぼれの天使。未熟な部分があるからこそ、それを乗り越えて成長するために現世に生まれてきた、スピリットの存在です。だから、自信が持てなくて当たり前なのです。「私は自信を持てない」という人は、「自信はあって当たり前」と考えているから苦しいのです。自分の未熟さがわかっていれば、自信がなくて当たり前。ないことをあれこれ思い悩む必要はありません。ないからこそ頑張ればいいだけなのです。

仕事をするうえで大切なのは、「自信」があるかないかではなく、自分の持つ力をどれだけ尽くせるかです。なぜなら、仕事をするということは、自分の最大限の能力を捧げる、ということだからです。

自分の能力を提供して、対価をいただく。それが仕事です。

「自信」があるとかないとかを考えるよりも先に、ただひたすら、自分の能力で、どこまで相手に喜んでもらえるか、そのことを考えたほうがいいのです。

そういう意味では、仕事は恋愛と似ています。

あなたは誰かを愛するときに、自信があるかないかで考えるでしょうか？　そんなことを考える余裕などなく、ただひたすら相手のことを思い、尽くすでしょう。仕事もそれと同じなのです。

相手のことを考えれば「自信がない」と悩んでいるヒマなどありません。

悩むのは、じつは相手ではなく、自分のことしか考えていないからです。人の評価を求めているからなのです。

偏差値重視の学校教育で育った世代は、人からの評価がどうしても気になります。テストで結果がはっきり出て、人に順位をつけられることに慣れてしまっているからです。学生時代に優秀で、テストのたびに「よく頑張ったね」とほめてもらっていた人ほど、社会に出てから、自信を失うことになりがちです。社会では、はっきりした数字で達成感を得られることは少ないし、ほめてくれる人もいないので、自信が持てなくなってしまうのです。けれど、それは子どもの感性です。

働くということは、人に尽くすこと。サービスをすること。その対価としてお金をいただくことです。

人にほめられたり、評価されたりするために働くのではありません。

自分の持っている最大限の力を使って、どこまでできるか。それに挑戦しましょう。もし力がまだ足りなくて、結果が出なかったとしても、それは受け入れるしかありません。受け入れて、また力をつけて、もう一度挑戦すればいいのです。

そう考えれば、「自信がない」などという悩みは消えてなくなるでしょう。すっきりとした気分で、仕事に打ち込めるようになるはずです。

物事にはすべて時機があります　トラブルもまた、あなたに必要な経験なのです

小さなトラブルやミスが続いて、仕事がうまくはかどらないことがあります。そういうとき「こんなの、ただの偶然よ」と見過ごしてしまわないようにしてください。

この世に、偶然に起こる出来事はありません。これはスピリチュアリズムの根本的な考え方です。出来事にはすべて意味があります。ガーディアン・スピリットからのメッセージが込められているのです。

そのトラブルが、あなたに何を伝えようとしているのか、一度立ち止まって真剣に考えましょう。

たとえば、「今、その仕事を進めては大失敗するよ、危険だよ」「思わぬ落とし穴があるから、もう一度よくチェックしなさい」ということかもしれません。

トラブルやミスで立ち止まらされることによって、考える時間を与えてもらってい

るのです。それに気づかずに突き進んでしまうと、痛い目にあう可能性が高いといえるでしょう。

一般的にいって、進めていいことなら、トントン拍子に進みます。トラブルというのは、強引に進めてはいけないときに発生するものなのです。

トラブルが続いたあげく、計画が中止になる場合も多いでしょう。けれど、それほど嘆く必要はありません。今はその時期ではなかったというだけのこと。待つことで事態が好転することもよくあります。

たとえば、あと一歩で決まりかけていた企画が、取引先の都合で流れたという場合。企画書を練り上げた時間も労力も無駄だったと思い、投げやりな気持ちになりがちです。けれど、決してそんなことはありません。

努力して企画書を練り上げたという事実は残ります。それは見えない実力として、あなたの中にしっかり蓄えられているのです。

その努力が本物であったなら、次のチャンスは必ずきます。流れた企画よりもっとすばらしいプロジェクトに参加できたりするのです。そのとき、「ああ、待たされてよかったんだ」とわかるはずです。

私たちはみんなガーディアン・スピリットに見守られています。そのまなざしは太陽のようなもの。たとえ嵐の日でも、厚い雨雲の上には必ず太陽があるように、私たちを見捨てることはありません。不安に思う必要は何もないのです。

ただし、ネガティブな思い、不安や憎しみ、焦り、嫉妬などで心が曇ると、太陽の光は届きにくくなります。

ピュアな心で、周囲の出来事すべてをよく見つめ、そこに含まれるメッセージを聞きとろうとしてください。そして、自分にできる最大限の努力を続けてください。そうすれば、仕事の幸運も成功も、自然にあなたのもとに集まってくるのです。

不運期は「自分自身」を見つめ直す充電期と考えましょう

「なぜか最近、ツキがないのよね」と思う時期は誰にでもあります。ちょっとした言葉を誤解されたり、期待はずれの成果しか出せなかったり。物事が悪いほうへ悪いほうへといってしまう時期＝不運期は、「もう一度、自分自身の内面を見つめ直しなさい」というメッセージです。

不運期は決して、宿命的に決まっているものではありません。むしろ、自分自身で招きよせている運命です。宿命は、ケーキでいえばスポンジの部分。人それぞれ持って生まれたものなので変えられません。けれど、運命はデコレーションの部分ですから、自分でいくらでも変えられるのです。

ツキのない時期とは、デコレーションでカバーできないスポンジの欠点、足りない部分があらわれている時期だと考えてください。

たとえば、生まれつき短気な人は、すぐに他人に対して怒りをあらわにします。自分でそれに気がついて、注意しているうちはいいのですが、ふと気が緩んだとき、誰かと大ゲンカをしたりします。生き方ベタな部分が前面に出てしまうのです。

体にもサインがあらわれます。生まれつき弱い部分が痛みを訴えはじめるのです。たとえばのどが弱い人は咳が続いたり、胃腸が弱い人は胃が理由もなく痛んだりします。

そんなときは、なぜ物事が悪いほうへと進むのか、きちんと分析することが必要です。短気な人なら、怒りをセーブすることを、弱気な人なら、きっぱりと自己主張をすることを、もう一度学び直す時期がきているということです。自分自身が持って生まれた宿命をしっかり見つめ直し、それを乗り越えようとしてください。

そうしていると、自然に物事への対処の仕方が変わってきます。すると、流れもいいほうに変えられるのです。

ただし、すぐには変わらないこともあるでしょう。ツキがないときは、じっと耐えて待つことが必要な時期でもあります。転職したいと思ったり、恋人と別れたくなったり、迷いが出るかもしれませんが、この時期は大きく動かないほうがいいのです。

それよりも、自分の内面にある未熟な部分をじっと見つめてください。

できれば自分を高めるために何かを始めるといいでしょう。趣味でも資格取得のための勉強でもかまいません。また、健康についても、人間ドックに入るなどして、見直してみるといいのです。

そして何より「いい種まき」をしてください。人に親切にしたり、笑顔であいさつをしたり。いつもよりていねいにコピーをとるだけでもいいのです。「カルマの法則」で、あなたが愛を持って人に接したら、必ず愛が返ってきます。

「愚痴をこぼす」「人を恨む」などの「悪い種まき」はやめましょう。ネガティブな感情に支配されると、ますますツキが離れていきます。

物事が悪いほうにしかいかない。そんなときこそ、できるだけポジティブに、笑顔で過ごすようにしてください。

そういう努力を続けていれば、あなた自身が変わっていけます。見方を変えれば、不運な時期があるからこそ、私たちは成長できるのです。そして、確実に成長できたとき、次の幸運期が訪れます。

つまり、不運期とは、暁の前の暗闇のこと。幸運期の前ぶれです。闇の中でも、恐れず脅えず、静かに自分を見つめてください。

思うような結果が出ないとき、考えておくべき「三つのこと」

仕事の結果が出せないときは、本当に苦しいものです。結果を出せなければ、給料ダウンはもちろん、リストラさえありうるのが今の時代です。

けれど、結果が出せなくても、必要以上に落ち込まないでください。

大切なのは後悔ではなく、反省です。

失敗は成功のもと。言い古された言葉のようですが、これはスピリチュアルな観点からもいえることなのです。一度の失敗を悔やむことはありません。そこでテンションを落としてしまわずに、「そういうこともあるさ」と考えましょう。「次は成功するぞ」と、気合を入れ直して頑張ればいいのです。

ただし、反省は必要です。なぜ失敗したのか、という分析が大切なのです。

そのとき、チェックしていただきたいのは、次の三点です。

まず、仕事の内容がその相手の意に添うものだったか、喜んでもらえるものだったか、ということ。くり返しますが、仕事は相手あってのものです。まず相手のことを思う気持ちがないと結果は出せません。

次に、自分自身がその仕事に対して、どれだけ真剣に、ポジティブに取り組んだか、いいアイデアを出したか、ということを考えてください。

21ページで書いたスピリチュアリズムの法則のひとつ、「波長の法則」を思いだしてください。「類は友を呼ぶ」といいますが、それと同じで、「自分の出している波長に見合うものが寄ってくる」という法則です。

仕事でいい結果を出すためには、あなた自身がポジティブで高い波長を出していることが絶対に必要です。そして、そういう波長は、「この仕事がやりたい」「やりこなしたい」と願う熱意から生まれてくるのです。

ただし、これは「ともかく数字を出したい」「ともかく取引を成功させたい」という熱意とは少し違います。やはり、「お客さまに少しでも貢献したい」「喜んでいただきたい」という熱意こそが大切なのです。

喜んでお金を捨てるという意味の「喜捨《きしゃ》」という言葉があります。たとえば、お客さん相手の仕事なら、お客さんが支払うお金がすべて「喜捨」になりますように、喜んでお金を払ってもらえますようにと思って取り組んでいれば、必ず結果はついてくるのです。

反対に、自分の成績だけ伸びればいいと思って、相手の利益を考えずに強引なことをすると、クレームとなって返ってきたりします。これは「カルマの法則」です。「自分でまいた種は、自分で刈りとらなければいけない」ということです。

相手のことを考えなかった、という行為が自分に返ってきて、困った事態を引き起こすのです。

「波長の法則」と「カルマの法則」。

この二大法則はとても大切です。言葉だけを見るとなんだか恐ろしげですが、そんなことはありません。それどころか私たちへの愛にあふれた法則です。この法則があるからこそ、私たちは進歩し、成長できるのです。

さて、三番目にチェックしていただきたいのは、チームワークです。チームの調和がとれていて、全員が同じベクトルで動いていたかどうか。

たとえば雑誌の売上げには、その編集部がどれだけチームワークよく動いているかが、はっきりとあらわれます。全員に活気があって、編集長の指示のもと、てきぱきと動いている編集部があるかと思えば、全体に静まり返って、それぞれが慢然と自分の仕事だけをしているところもあります。もちろん、雑誌がどんどん売れていくのは、前者のほうです。

チーム内のコミュニケーションがうまくとれていないと、仕事に対して努力しようという意欲が上がりません。また、仲間から責められることを恐れて「失敗しないように」ということだけに必死になりがちです。こうなると、売上げが落ちてきても、原因の分析をすることもできません。読者のニーズを読みとれなくなるのです。

これはどんな会社の、どんな部署にもあてはまります。社内のチームワークがうまくいっていない部署、ベクトルがバラバラで求心力のない部署は、確実に業績を落としていきます。チームワークはすべての基礎なのです。

結果が出せないときは、ここに挙げた三つのどれかが必ず欠けているはずです。

そこをきちんとできれば、あとは自然にうまくいくようになっているのです。

評価される人には、あるひとつの共通点があります

どんなに頑張って仕事をしても、上司に認めてもらえない。

そんな悩みを抱えている人もたくさんいます。

けれど、「評価してほしい」と思っているときほど評価してもらえないものです。

私のまわりの人を見ていると、評価される人には共通点があります。

それは、どれだけ自分以外の人のために役に立てるか、を常に意識しながら仕事をしていることです。

ストレートにいえば、どれだけ会社の役に立てるか、ということです。

「会社の役に立てなんて、おめでたいことをいっている」と思われるかもしれませんが、おめでたいぐらいでちょうどいいのです。真剣に会社のことを思い、会社の役に立とうとする「おめでたい」人が成功するし、評価されるのです。

私は決して「滅私奉公」を勧めているわけではありません。自分を殺して会社の奴隷になっても幸せにはなれません。

そうではなく、たとえば会社の製品やサービスを通してどれだけ人々の役に立てるか、という視点をいつも持ってほしいのです。それが「会社の役に立つ」ということです。そういう働き方をする人の評価が高くならないはずがありません。

もちろん、「社内での実力があって仕事先でも喜んでもらっている。でも、上司の見る目がないので評価されない」というケースもあるでしょう。

しかし、上司に自分をアピールすることも、会社員であれば「仕事のうち」です。見る目のない上司なら、それをわかったうえで、ときにはリップサービスなどもして、自分が「必要な人間だ」ということを、わからせる努力は必要です。そういった人間関係の能力も仕事の実力のうちです。

どんな仕事でも、嫌な相手と組むことはあるし、仕事以外の場でのつきあいもあるでしょう。そういったことも含めて仕事なのです。

実際の仕事の実力と人間関係能力、そのトータルバランスがとれている人は、必ず評価されます。上司とソリが合わないからといって、それを顔に出したり、上司の陰口を平気でいったりしていては、評価されるはずがありません。

「だから会社員は嫌だ」という人もいますが、かといって、独立すれば状況はもっと厳しくなります。たった一人で、守ってくれる後ろ盾もないまま、嫌な相手とも仕事をしなくてはいけないのです。生半可なことではありません。

組織で働くときは、確かに自分の思いを我慢しなくてはいけないときもありますが、一方で会社が社員を守ってくれる場面もあるはずです。そのことへの感謝を忘れて、不満をいうだけでは、いい仕事はできません。

アメリカの会社では、面接のときに「あなたは、この会社にどれだけ貢献できますか」と必ず聞かれます。それに対して、きちんと自分の能力を提示しなければ雇ってもらえないし、それを実行できなければ、すぐに解雇されてしまいます。

日本の会社も、バブルがはじけてからは、それに近づいてきています。「黙っていても評価されて当たり前」という、学校的な甘えは通用しなくなっているのです。

評価されるためにはどうすればいいのか。甘えを捨てて、もう一度、戦略を練り直してみてください。

☼不安な気持ちが起こるのには必ず「理由」があります

私たちは、スピリチュアルな世界から現世に生まれてくるとき、乗り越えるべき課題を選んできています。個人的なことだけでなく、どんな時代の、どんな国に生まれるかも、自分で選んでいるのです。

その時代、その国には、それぞれの宿命があります。たとえば、中東などの紛争地域に生まれた人は、今、その中でどう生き抜くかという重い課題を背負って生まれてきたといえるでしょう。

日本も今、長い不況の中であえいでいます。多くの人がなかなか就職が決まらなかったり、リストラされたりしています。これは個人の課題でもあり、国や時代の課題でもあります。つまり、私たちみんなが経済について、お金の使い方について、よく考えなさい、そしてもう一段階、成長しなさいといわれているのです。

こんな時代ですから、賃金カットやリストラなどが不安に思えて仕方がないかもしれません。将来に希望が持てず、ネガティブな思いにとらわれることもあるでしょう。

けれど、不安や脅えというマイナスの感情は、ますますマイナスの出来事を引きよせます。これは「波長の法則」です。

「リストラされたらどうしよう」と思っていると、本当にリストラ候補になるでしょう。「どうせ賃金カットされる」「何もかもうまくいくはずがない」と思っていると、本当にそうなるのです。

そんなふうに思ってしまったら、すぐに気持ちを切り替えてください。

「私は何も不安に思わないような仕事の仕方をしよう」と心に決めるのです。

たとえば、「これだけやってリストラされるんだったら、仕方ない。喜んでリストラされましょう」と思える仕事をすること。あるいは、常にそれぐらいの覚悟を持って仕事をすることです。

じつは、常にそれぐらいの覚悟で仕事をしていれば、リストラされることはまずありません。会社にとって、「必要な人材」になれるからです。

万一、会社の一方的な事情でリストラされたとしても、次の仕事がすぐに決まります。そういう人は、どんな職場でも、必要とされるからです。

リストラを不安に思うのは、自分の能力に不安を感じているからです。能力さえあればいれば、雇ってくれる会社は必ずあります。どこでも通用する能力を持ってさえいれば、不安に思う理由はないのです。

もちろん、その「能力」の内容はじつにさまざまです。仕事の実績をあげる能力はもちろん、先に書いたような人間関係の調整能力、リストラを告げられたとき、それを受け入れる冷静さ、次の仕事に挑戦する勇気。そういった総合力＝人間力が必要なのだと思います。

お金のことを考えると、不安が押しよせてくるのはわかります。けれど、そういう物質的なことに関しては、会社から安定したお給料をもらっているうちに、ある程度の蓄えをしておきましょう。

また、「お金がないならないでなんとかなるさ」というおおらかな気持ちも必要です。考えてみれば、人間一人が現世で生きていくために、それほど多くのお金は必要ではないのです。そして何よりもまず人間力を鍛えてください。不安な思いがわき起こるのは、じつは「本当の力をつける時期ですよ」というスピリチュアル・ワールドからのメッセージなのです。

面接は試験ではありません　あなたのよさをまわりに伝えるチャンスなのです

チャンスには、試練がつきものです。

たとえば「面接」もそのひとつ。入社試験や昇進試験のとき、必ず面接は行なわれます。そのとき実力が発揮できないと、せっかくのチャンスを逃してしまうことになりかねません。

面接で失敗する理由は何だと思いますか？　緊張するから？　ではなぜ緊張するのでしょうか。それは、面接官の立場に立っていないからです。

面接の目的は、相手に自分についての的確な情報を与える、ということです。相手が知りたいと思っていることを教えてあげる場。それが面接なのです。

緊張していると、相手の質問にトンチンカンな答えをしてしまうでしょう。それは相手にとって、不親切なことです。知りたいと思うことを教えてもらえないのですから、相手は困ったり、不機嫌になったりするでしょう。

相手が気持ちよく情報を得られるように。そのことだけを考えて、面接に臨んでください。自分のために話すのではありません。相手のために話すのです。相手の質問から、何を聞きたいと思っているかを敏感に察知して、ていねいに教えてあげましょう。

聞かれていないことまで、しゃべる必要はありません。そんなことをすれば相手が混乱するだけですから、かえって不親切です。

面接のときも、気を遣うのではなく、気を利かせることが大切なのです。

気を遣うとは、無駄にエネルギーをバラまくこと。これは、相手を疲れさせるだけです。気を利かせるとは、相手が何を望んでいるかを察して、そのツボを的確に押してあげることです。

これは、付け焼刃ではできません。日頃から、気を利かせるよう心がけることが大切なのです。

「今からじゃ、間に合わない」という人は、面接に臨む前に、まず大きく深呼吸をしましょう。そして、恋人に会うときのような笑顔をつくってください。そう、これから会う面接官はあなたの大切な恋人です。彼が納得いくように、困らないように、あなたのよさを、しっかりと伝えてあげればいいのです。

また、面接会場へは時間にゆとりを持って行くようにしてください。許される範囲で会場の中を歩き、壁や扉にそっとふれておきましょう。そうすることで、あなたのオーラがあちこちに付着します。するとたましいが落ち着き、リラックスできるのです。この「オーラ・マーキング法」は、緊張したり不安な気持ちが強いとき、それをやわらげるのにとても有効ですから、ぜひ試してみてください。

Step 3

運命に偶然はありません、すべてがあなたにとって大切な出会いです

☼誰と出会うかは宿命です　どんな関係に育てるかは運命です

仕事は人で決まります。

社内の上司、同僚、部下、そして取引の相手。どんな仕事でも、かかわる人との関係しだいでよくも悪くも変わってきます。それなのに、人との「出会い」とは何か、その意味や定義を深く考えていない人が多いように思います。

ここで一度考えてみてください。

あなたは、なぜその人と出会ったのでしょう。

どうすればいい関係を築き、いい仕事に結びつけることができるでしょうか。

まず、宿命と運命の違いをもう一度ここで思いだしてください。ほかの著書でもふれていますが、宿命とは、自分が持って生まれたもの。国籍、性別、家族など、自分では変えられないものです。一方、運命とは、自分が努力すれば変えられるものです。

たとえば、不器量な顔に生まれついたのは宿命。それをメイクやファッションで努力して、魅力ある顔にしていくのは運命です。ケーキでいえば、スポンジの部分が宿命で、自由に変えられるデコレーションが運命です。

人との出会いにも、この宿命と運命があります。

そして、偶然に出会う人は一人もいません。

私たちは、自分の中にある性質と同じものを持っている人と出会うようにできています。たとえば、とても優しく明るい人と出会ったとしましょう。それは、あなた自身の中にも優しく明るい部分があるということです。反対に、底意地の悪い人と出会ったときも同じです。認めたくないかもしれませんが、あなたの中にも底意地の悪い部分がある、ということなのです。

底意地の悪い人に出会ったとしても、もしあなたの中に意地悪な部分がなければ、相手の意地の悪さは表面に出てきません。「あの人は、Aさんには意地悪だけど、Bさんに対してはいい人になる」という現象があるのは、そのためです。つまり、出会う人はみんな自分を映しだす「鏡」なのです。相手の中に自分が映っているのです。

ですから、意地悪な人との出会い＝不運ではありません。どんな出会いも幸いなのです。

というのは、鏡を見れば自分の姿がわかるからです。そこから学ぶことで私たちは成長することができます。これは本当に幸せなことです。

生まれてから今まで、「いい人」としか出会ったことがないという人はいないでしょう。それは私たちが未熟だからです。嫌な人と出会うということは、成長のためのカリキュラムでもあります。ですから、たましいが磨かれていけば、だんだんといい人との出会いが増えていくのです。

出会った人を鏡として、どんなふうに成長していくか、相手とどういう関係を育てていけばいいのでしょう。

たとえば嫌だと思う相手に出会ったとします。そのとき、努力していい関係を築こうという気持ちで接すれば、それは高い波長となって相手に届きます。これは「波長の法則」です。相手のいい波長を引きだせるので、いつかは調和がとれて、いい関係になっていくでしょう。ただし、すぐにというわけにはいきません。ある程度、時間はかかるでしょう。けれど、そうやって自分の力で出会いという運命を切り開き、職場の中で認められるようになった人はたくさんいます。

また、第一印象はよかったけれど、しだいに関係が悪くなったという場合もあるでしょう。それは互いのメッキがはがれて、素が出てきたからです。

そのときが本当のスタートです。そこでつきあいをやめるのではなく、そこから運命を切り開いていかなくてはいけません。

「どうして自分のまわりには、いつもロクな人間が集まらないのだろう?」と嘆く人がいますが、それは自分がロクな人間ではないといっているのと同じです。

私たちは、いい人とだけ出会うことはできません。けれど、出会った人をみんないい人に変えようと考え、努力することはできるのです。

「そんなことは無理」と思っていると、同じ考えの人と出会うでしょう。

「頑張って変わってみよう」と努力を始めると、その高い波長が、同じ波長を持つ人との出会いを呼び寄せます。

運命を切り開こうとする意欲が、すばらしい出会いとなって返ってくるのです。

苦手な上司、苦手な相手は、あなたを映しだす鏡です

いくら出会いはすべて必然だといわれても、たとえば、理不尽に怒ってばかりいる上司、手柄を横取りする卑怯な上司、部下に無関心で自分の出世しか考えていない上司、無能な上司……。そんな上司の下についてしまったら、会社に行くこと自体ストレスになってしまうかもしれません。

けれど、そういう上司と出会ったのは、自分の中にその要素があるからかもしれません。

「いや、自分はあんな人間じゃない」と思いたい気持ちはわかりますが、冷静に自分と対話してみてください。本当に、あなたの中に似た要素はありませんか？

出会いは、自分に気づくチャンスなのです。

素直な心で自分を見つめてみましょう。そしてもう一度、相手を見てみてください。

理不尽に怒る上司は、なぜ怒っているのですか？　どうすればその怒りを鎮めることができますか？　手柄を横取りする上司には、どうすればそれを改めてもらえます

か？　部下に無関心な上司には、どうすれば関心を持ってもらうことができますか？「上司を変えるなど、無理」と思われるかもしれません。けれど、あなたの働きかけしだいでは、どんな人でも変わる可能性があるのです。

自分の身に起こることは、すべて自分に責任があります。

まず、そう考えることから始めましょう。

次に、自分の力で上司を変えるためには、具体的にどう働きかければいいのか、考えてみてください。その際、ひとつ大切なコツがあります。

相手に「気を遣う」のではなく、「気を利かせる」ということです。「気を遣う人」は、じつは自分がどう思われるかを気にして、ビクビクしているだけのことが多いものです。それでは相手は負担に思うでしょう。「気が利く人」は、相手が今、何を望んでいるかを敏感にキャッチして、それに応える努力をしています。自分を中心に考えているか、相手を中心に考えているかの違いです。

気を利かせるには、観察眼が必要です。

何をすればこの人は喜ぶのか、何をいえばプライドが傷ついて怒るのか、相手をよく観察して、理解する力が必要なのです。

これは、職場だけでなく、すべての人間関係の極意といえます。

誰にでも「これをされたら許せない」、そこを押されると爆発する、地雷のようなポイントがあるでしょう。それさえ押されなければ、仲良くできるのです。仲の悪い夫婦を観察してみてください。互いにそのポイントが理解できないまま、相手の嫌がることをくり返してはケンカをしているでしょう。

大切なのは、相手のツボを心得る、ということ。マッサージのうまい人は、ツボを心得ているから、相手を心地よくしてあげることができます。それと同じです。押していいところ、いけないところを、きちんと把握すればいいのです。

うまくツボを押してあげれば、相手はうれしくなります。すると、たとえいつもは手柄を横取りする上司でも、「悪いな」という良心が生まれるでしょう。

それでも、どうしても相手が変わらないとき、初めて会社を辞めるという形でピリオドを打つ選択もでてきます。

その判断が正しかったか、間違っていたかは、転職したあとでわかります。自分にできる努力を全部して、それでもダメだったから辞めたという場合、次の職場では、いい上司につくことができます。苦労した経験が実になって、あなた自身が大きく成長しているからです。それは、頑張ったことに対する運命のごほうびのようなもの。

反対に、また同じことのくり返しになったのであれば、前の職場での努力が足りなかったということです。同じ苦労をして、今度こそ克服しなくてはいけません。

言葉でどんなに言い繕っても、結果がすべてを物語ります。

ぜひもう一度、あなた自身と上司との関係を冷静に見つめ直してみてください。

嫌いな人を好きになる必要はありません ただ、少し心を配るだけで関係は驚くほどよくなります

「この人とは合うけれど、あの人とは合わない」

よくそういう言い方をします。確かに、人との「相性」はあるでしょう。けれど、考えてみてください。もし全員が人格者であれば、「相性」という言葉が生まれたでしょうか。みんながいい人であれば、全員とうまくいくはずです。

くり返しますが、どんな出会いも偶然ではありません。出会う理由があるから出会うのです。たとえば、「嫌な人と同僚になってしまったな」と思うとき、表面には出ていませんが、あなたの中にもある嫌な部分が、相手の中に映しだされているのです。ですから、そこでどうして嫌いなのか自分を見つめる必要があります。それがわからないと、人とうまくやっていくことはできません。

もちろん、嫌いな同僚を１００パーセント好きになることは難しいでしょう。けれど、同僚との関係は仕事上だけのこと。生涯をともにするわけではありません。一緒

に仕事をしている間だけの辛抱だと思って、誰とでも協調するように努めるのも仕事人としての義務なのです。そのためにも、天職という別の場所を確保しておくことが大切です。嫌なことがあっても、「これはここだけのこと」と思えれば、ネガティブな感情の爆発は防げるでしょう。

また、お互いの個性を認めたうえで、ルールやマナーを守ることも必要です。相手の立場を考えて、相手が嫌がることや傷つくことをしない、いわない。社会に出てからは特に、そういう礼儀を知らない人は仕事仲間として認めてもらえません。

そして、何より大切なのは周囲に「気を配る」ことです。気を遣うことは不必要だと書きましたが、気配りは必要です。気配りとは、エネルギーを配ること。「私はあなたのことをちゃんと考えていますよ」と相手にわかるように、行動で知らせることです。

たとえば相手が何か困っていれば、「自分にできることはないか」と声をかける。自分にわかることなら、すぐに教えてあげる。そういう気配りをしていると、今度、あなたが困ったときは、必ず手助けしてもらえるでしょう。

職場の中で孤立している、同僚とうまくいかない、と感じている人は、そういう気配りができていたかどうか、周囲の人たちと、プラスのコミュニケーションができていたかどうか、振り返ってみてください。

また、必要以上に嫉妬されたりすることが多いという人も、もう一度、自分の行動を振り返りましょう。スタンドプレーをすることにばかり熱心で、周囲への心配りを怠っていないかどうか。うまくいっていない人に対して、無意識に心ない言葉を投げていなかったかどうか。もし、そうであったなら、妬まれて足を引っ張られるという形で返ってくることがあっても当然です。

ただ、同僚にライバル心を持つのは悪いことではありません。お互いに切磋琢磨《せっさたくま》して、「あの人が頑張るなら、自分も頑張る」と思える相手は大切にしてください。嫉妬というマイナスのエネルギーで心をすり減らすのではなく、お互いに実力があって、刺激しあえる関係なら、二人とも必ずいいポジションにいけるのです。

勝敗にこだわるのではなく、本当のライバルになれるよう、心を配ってみてください。そういう努力は必ず報われます。

少し心を配るだけで、人との関係は簡単に変わります。変わらないと決めつけずに、「心を配る」練習を明日からしてみましょう。

まわりを変えたいなら自分を磨くこと　結局これが一番簡単で効果のある方法です

どんな「部下」と出会うかも、仕事の中で大きなウエートをしめます。

初めて部下を持ったときは、喜びと同時に、「上手に部下を使いこなせるだろうか」という不安も感じるはずです。部下が自分を尊敬し、バリバリ働いてくれればいいのですが、なかなかそううまくはいきません。上司になるということは、親になること、独立することと並んで、ままならないことのひとつだからです。

「部下がいうことをきかない」「なめられている」というケースもよく耳にしますが、そういうとき考えてほしいのは、上司である自分がどんなオーラを出しているか、ということです。オーラには、健康状態をあらわすオーラと、精神状態（スピリットのあり方）をあらわすオーラの二種類あります。それぞれ特有の色があるので、見る人が見ればわかりますが、一般的にはわずかに感じることができる程度です。

今、問題にしているのは、後者のオーラ。精神状態をあらわすオーラです。

これが弱いと、人は敏感にそれをキャッチします。そして、なぜかキツイ言葉を浴びせたり、いじめたくなったりしてしまうのです。「あの人を見るとなぜかいじめたくなる」と思われる人がいるかと思うと、反対に「あの人には軽々しいことはいえない」と思われる人がいるでしょう。それはオーラが弱いか強いかの違いによります。

オーラが弱い人は、当然、部下から信頼されにくく、なめられやすいのです。

そういう人は、なぜ自分のオーラが弱いのか、その原因を考えてみてください。

たとえば、過保護な家庭環境で育って親離れができていない、入社してからずっと実際の仕事力を磨いてきていないなど、そういうことすべてが、気弱なオーラとなってあらわれます。

そんなとき、なめられまいとして、虚勢を張ろうとする人がいますが、これは逆効果。内心はビクビクしているのに表面だけ突っ張っても、オーラに変化はありません。簡単に見破られるでしょう。

オーラが弱いときは、自分を磨くしかありません。精神力、仕事力、人間力、すべてを今より強くしていくよう、頑張るしかないのです。

自分を磨いていると、オーラにパワーがみなぎります。すると、「軽々しく扱えない」雰囲気が周囲に漂うのです。

後ろ向きにならずに自分を磨く努力をしてください。

方法はいろいろあります。

今の自分に足りないものは何かをよく見極めて、それを補強する手段を考えてください。

自分を変えようと努力を始めたとき、周囲の見る目は必ず変わります。

最初はせせら笑う人がいるかもしれません。けれど、続けていれば必ず周囲に変化があらわれます。

どうしても性格的に気が弱いという人は、オーラにバリアをはって自分を守る「卵オーラ法」を試してみてください。簡単な方法ですが、朝、出社する前や会議の前などに実行すると、驚くほど効果があります。

【卵オーラ法】

❶いすに座って、気持ちを落ち着けます。

❷息を鼻から大きく吸います。

❸口からゆっくりと息を吐いていきます。そのとき、自分の体の周囲に卵の殻のよう

なバリアがはられている様子をイメージしてください。

❹イメージを強化するために、自分の周囲にバリアをはるつもりでゆっくりと両腕を回していきます。一回目は、前から後ろへ。二回目は左から右へ。

❺卵形のオーラ全体が強化されて、その中にすっぽりと自分が包まれているイメージを描きましょう。気持ちがすっきりし、安心感がわいてくるはずです。

いい雰囲気の中で仕事をしていますか？職場の〝気〟を高めるちょっとしたコツ

社内で、ある部署に入ったときだけ、「この部屋は、なんだか雰囲気が暗いな」と感じることがありませんか？　そういう感覚はだいたい当たっていて、その部署の人間関係がうまくいっていないことが多いのです。

誰かと誰かの間に確執がある。特定の誰かが誰かをいじめている。一人がターゲットになって全員にいじめられている。そんなとき、その場にいる全員に影響は波及します。ネガティブな波長が広がって雰囲気がギスギスし、暗くなるのです。当然、業績も落ちてきます。悪い波長がうずまく中で、いい仕事ができるはずがないからです。

そんな職場の雰囲気をなんとかしたいと思うとき、直接、確執を抱えている人やいじめている人を説得して解決しようと考えるでしょう。もちろんそれも大切なのですが、その前に少し環境を見直してみてください。

部屋の中に、いい「気」が流れるよう工夫してみるのです。

たとえば、窓を開けて風の通り道をつくるだけでも、空気が変わります。川のせせらぎや波の音など、自然音のCDをBGMとして小さく流してもいいでしょう。声が入ると仕事の邪魔になりますが、音だけなら雰囲気を改善するのにとても効果があるのです。

とりわけ、水の音は情緒を安定させる働きがあります。インテリアとして蹲《つくばい》を置き、実際に水の流れる様子を目で見たり、音を聞いたりしてもいいでしょう。余談ですが、子どもに水遊びをさせることが必要なのは、水に癒し効果があるからです。

元気のいい観葉植物を置くことも、オフィスには絶対に必要です。植物には人を癒す力があります。職場の雰囲気が悪いと、植物はすぐに枯れてしまうでしょうが、それは人が枯れるかわりに枯れてくれているのです。感謝して、また新しいものを置きましょう。決して欠かしてはいけません。

最近は経費削減のあおりで観葉植物を置かないオフィスが増えましたが、よく観察してみてください。そういう会社の業績はますます落ちてきていることが多いはずです。

風景画や静物画などの絵画を飾るのもいいことです。ただし、人物画は避けたほうがいいでしょう。人形と同じように、人物画には念がこもりやすいのです。その場に流れる悪い気の影響を受けて、悪い念がこもると逆効果です。

ただし、その会社の経営者の肖像画や、マザー・テレサなど精神の格の高い人の肖像画を飾るのはかまいません。経営者の肖像画があれば、社員の士気の高揚につながり、求心力が強まるでしょう。

ともかく、働いている人が少しでも気持ちよく仕事ができる環境をつくることが大切なのです。そうすれば、ギスギスしていた人の気持ちが、目には見えないけれど、確実に変わります。みんなの心がやわらいでから、肝心の問題点の改善にとりかかってください。いきなり難問に取り組むよりも、簡単に効果があがるはずです。

職場は人と人が出会う場所。そこに集う人々のいいエネルギーを引きだせるよう、工夫をこらしてみてください。

✿人間関係のトラブルを解決するのは難しくありません　素直なこのひと言がすべてを収めてくれます

仕事は人が相手ですから、ときには厄介なトラブルが生じることもあります。もしかしたら、「ときには」ではなく年中トラブルで、トラブルを解決することが仕事だという人もいるかもしれません。

たとえば、仕事の相手が怒りだしたとき。あなたなら、どうしますか？

自分の立場だけを考えていると、問題は解決しません。そんなときこそ、相手の立場、相手の感情を考えることが大切です。

すると、何よりも必要なのは「申し訳ありませんでした」という素直な謝罪であることがわかると思います。相手は、何よりもまず謝ってほしいのです。そんなときは会社を矢面に立てましょう。「会社がバカだから、こんなことになってしまいまして」といいながら、自分は会社の代表として頭を下げればいいのです。

次に、相手の怒りの根源にあるものは何かを観察してください。何かの損失があったなら、それをどういう方法で埋め合わせればいいのか、プライドが傷ついているなら、どうすればその傷を癒してあげることができるかを考えてみるのです。「メンツを潰された」というなら、メンツを取り戻す方法を考えればいいのです。こういうときは、ヨイショもできなくてはいけません。

「バカな会社で申し訳ありませんが、どうしてもうちの会社には、あなたの力が必要なんです」と、その人自身の必要性、有用性をとことん強調することです。

「バカにされた」と思って怒っていた人が、「そこまでいうなら」と怒りの鉾《ほこ》を収めるまで頑張りましょう。自分の立場や体面、リスクを考えていると、これができません。

逆の立場に立って考えれば、よくわかるのではないでしょうか。自分が同じように怒ったことはなかったか。そのとき、どんな言葉や行動で怒りが収まったか。思いだしてみてください。

仕事相手も同じ人間です。何で喜び、何で怒るか、大きな違いはありません。

仕事をしていると、叱られたり、理不尽に怒られたりすることが何度もあるでしょう。そのときは、落ち込んだり、腹立たしく思ったりしますが、その一つひとつが大切な学びです。そういう経験があるからこそ、私たちはすぐれた観察眼や洞察力を身につけることができるのです。

トラブルこそが、私たちを成長させてくれるのです。

部下や後輩の態度は、あなたが気づくべき大切なメッセージです

ある程度、仕事を続けていると、チームのリーダーになったり、部下を持ったりして、人の上に立つ機会が出てくるでしょう。そのとき、チームのメンバーにやる気を出させるのがとても上手な人と、「使えない人ばかり……」。自分は本当についてない」とため息をつくだけで、業績をいっこうに伸ばせない人がいます。

「使えない」と愚痴をこぼす人をよく見てください。そういう人が本当の意味で「使える」ことはまずないでしょう。くり返しますが、出会う人はすべて自分の鏡。周囲の人々を使えなくしているのは、その人自身なのです。

もし今、自分の下で働いている人が「役立たず」のように思えて仕方がないなら、その人を役に立つすばらしい人材に、あなたが育ててあげましょう。

そのためには、まずこの一点を心に刻んでください。

「部下は、あなたの仕事をするために生まれてきたのではない」ということです。

プロローグでも書きましたが、人はみんな、たましいを磨くために現世に生まれてきています。

たましいを磨くには、人とかかわることが必要です。

私たちはみんな、リーダーであるあなたも含めて、未熟です。未熟な人間が、仕事を通して人とかかわり、成長しようとしているのです。その視点を忘れないでください。

人の上に立つことの大変さは、下で働いてくれる人たちの人生をも考えなければいけない、という点に尽きます。つまり、人の親になるぐらいの気持ちがないと、いいリーダー、いい上司にはなれないのです。

親であれば、子どもの人生全体を考えるでしょう。子どもの人生に、いったい何が足りないのか、観察し、理解して、助言するはずです。

リーダーも同じです。目の前の仕事ができるかできないか、ということだけにとらわれないでください。親の立場になって、「あなたの人生を伸ばすには、この部分が足りない。それが仕事にも反映されているのかもしれないよ」ということが語れなければいけないのです。

「なぜ今、この仕事をしているのか」

「この仕事をすることで、何が学べるのか」

それを教えてあげるのが、親の愛です。その愛は、優しい慈雨のように、相手の成長を助けるでしょう。

また、もし相手が本当に今の仕事に向いていないと思うなら、親の気持ちになって、別の可能性も考えてあげることも必要です。

そういう愛を持って接すれば、チームの全員が、職場は自分を磨くトレーニングの場であると理解できます。ただ「働きなさい」「業績をあげなさい」といわれていたときとは、まったく違う反応が生まれるはずです。

「この人は、本当に自分の人生のことまで考えてアドバイスしてくれている」ということがわかれば、信頼感が生まれます。すると、「この人のために働こう」という思いが自然にわいてくるでしょう。

親になった気持ちで部下を見てください。そうすれば、なぜかまわりに「使える」人ばかりが集まってくる、そんなリーダーになることも、決して夢ではないのです。

☼仕事と恋愛との間で気持ちが揺れているあなたへ

たとえば仕事が忙しくて、デートの時間がとれなかったために、恋人が浮気をしてしまった。そんなとき、「仕事が忙しすぎたからこんなことに……」と思うかもしれません。

けれど、それは誤解です。恋人が別の相手に心を動かしたのは、あなたが仕事をしていて、会う時間がなかったからではありません。二人に、互いを思いやる気持ちがなかったからです。

スピリチュアリズムでは、物質的なことに価値を置きません。大切なのは、気持ちです。つまり、どれだけ長い時間一緒にいるか、ではなく、どれだけ「思い」を込められたかが大切なのです。

思いがこもっていなければ、どれだけ長く一緒にいても、恋は続かないでしょう。反対に、たとえ時間は短くても、そのときにたっぷり思いを込めて、お互いを大切にしあえたなら、二人に別れが来ることはないのです。

人を愛するということは、自分のことよりも相手のことを思い、相手のために行動するということです。

本当に愛しあう二人なら、あなたの仕事が忙しいとき、相手は怒るどころか、励ましてくれるでしょう。相手の仕事が忙しいとき、あなたは会えない淋しさを我慢し、恋人を支えようとするでしょう。

お互いに相手の淋しい気持ちをわかってあげることもできるはずです。だから自然に電話をしたり、メールを送ったりできるのです。

ですから、仕事がとても忙しくて会えないとき、あるいはどちらかが転勤になって遠距離恋愛になったときは、二人の愛を確認するチャンスです。

二人の絆は、離れていても切れないぐらい強いかどうか。それを試されているともいえます。今の絆が弱ければ、その試練に耐えきれないでしょう。強ければ、会う時間が少し短くなっても大丈夫です。短い時間の中で、今まで以上に凝縮して愛を与えあえるよう、工夫すればいいのです。

ポイントは、常に心を込めること。そして、できれば毎日、お互いの「声」を聞くことです。メールもいいのですが、より気持ちが伝わるのは声です。声にはより多くのエネルギーが込められるからです。顔が見えればなおいいので、携帯で写真を送るのもいいでしょう。けれど、声を決して忘れずに毎日届けてください。相手に淋しい思いをさせないために、できることは全部してみましょう。

そして、仕事をしている間は、気持ちをしっかり切り替えることも大切です。お互いのためにいい仕事をしたい。そう思えるような関係がつくれるように、二人で努力してください。

そうしていてもなお恋が終わるなら、それは仕方がありません。精一杯愛した思い出を胸に、また新しい恋を探しましょう。

仕事を言い訳にしないで、ひとつの恋に全力で取り組んだ経験は、きっとあなたを成長させています。もっと素敵な出会いが必ず待っているはずです。

職場で「尊敬できる人」「目標になる人」と出会えないとき

「うちの職場には、尊敬できる人がいない」

そんな愚痴をこぼしたことはありませんか？

「あの人のように仕事がしたい」と思える人が身近にいると、どんなにいいだろうと思う気持ちはよくわかります。「こうなりたい」という具体的な目標が見えると、仕事もしやすくなるでしょう。

けれど、そんな理想的な人とは、簡単に出会えるものではありません。

「仕事がうまくいかないのは、目標となる人がいないからだ」と思っているなら、それは依存心であり、甘えです。

職場にいる人はみんな、それぞれ持って生まれた自分のたましいの課題を乗り越えて、成長するために、仕事に取り組んでいます。ほかの誰かを導くために、そこにいる人はいないのです。

ですから、まず尊敬できる人に「導いてほしい」という気持ちは捨てましょう。

「自分は自分で育てる」という、自立して取り組む構えが必要です。同時に、「誰も尊敬できない」という見方もやめましょう。それは、傲慢さのあらわれです。「自分は未熟なのだから、教えてくれる人がいれば、謙虚についていこう」という姿勢が大切です。

そういう自立心と謙虚さを持って、高い波長で仕事をしていると、必要な人と出会えます。自分の足りなかった点、克服しなければならない点を、上手に教え、導いてくれる人とめぐりあえるのです。これは「波長の法則」です。

反対に、「誰かに頼りたいんだけど、うちには誰もいないんだよね」というような、甘えと傲慢さを持ってしまうと、出会いは訪れないでしょう。また、出会っていたとしても、気がつかなかったりします。

そもそも、目標となる人は、自然に出会うものではなく、自分でつくるものです。確かに、オールマイティで理想的な人とはめったに出会えません。けれど、どんな人にでも何かひとつは必ず長所があります。それを見つけて、そこから学ぼうとすれば、まわりの人はみんな師匠です。目標にすべきあこがれの人なのです。

拙著『幸運を引きよせるスピリチュアル・ブック』（三笠書房《王様文庫》）に、自分の周囲にある10パーセントの愛情に気づかない人は、１２０パーセントの愛情にも気づかない、と書きましたが、それと同じです。周囲にいる人の中に、10パーセントの素敵な部分、すばらしい部分を見つけられない人は、たとえ１００パーセント完璧な人に出会っていても、それに気づけないのです。

そう思って、もう一度、あなたの職場を振り返ってください。違う職場ではないかと思うぐらい、新鮮な驚きがきっとあるはずです。

気は遣うものではなく利かせるもの アフターファイブの「マン・ウオッチング」

ひと仕事終わったあと、同僚と「ちょっと飲みに行く?」ということは、どの職場でもあります。上司が同席する少しあらたまった会や取引先をもてなす接待などもあるでしょう。

仕事そのものは苦にならなくても、仕事を離れたそういうつきあいが苦手、という人はたくさんいます。

仕事の相手は、たとえ同僚でも友だちと同じ感覚ではつきあえません。どこまで本音が話せるかを考えなくてはいけないし、毎日顔を合わせる相手ですから、ケンカはできません。取引先への接待ともなれば、仕事上の思惑がからんできますから、もっとプレッシャーがあるでしょう。苦手意識を持つ人が多いのもうなずけます。

仕事のつきあいが苦になって仕方がないときは、まず仕事をする目的を、もう一度思いだしてください。

私たちは、人との出会いを通じて、成長するために仕事をしています。大変な思いもしますが、だからこそ、より豊かに大きく成長できるのです。出会う人は、どんな人も自分の磨き砂。同僚、上司、取引先の相手も例外ではありません。自分を育ててくれる相手だと思ってください。すると、自然に感謝の気持ちがわいてくるはずです。

次に、仕事の関係者だからといって、あまり神経質にならないことです。くり返しますが、気は遣うものではなく利かせるもの。相手をよく観察し、何を望んでいるかをキャッチして、そのツボをギュウと押せる人が「気の利く」人です。気を利かせる練習をしてみましょう。

仕事では、さまざまな人と出会います。威張る人、傲慢な人がいるかと思えば、腰の低い優しい人もいます。どういう人が、どういうときに、どういう言動をとるのか。仕事の中では見えなかったことも、お酒が入ると見えてくる場合が多いのです。つまり、仕事関係の宴席は、絶好のマン・ウオッチングのチャンスです。

仕事は、人を相手にするもの。どんな仕事も、人を抜きにして成功はありません。ですから、人への興味関心は常に失わずにいてください。そして、できれば人を好きになりましょう。

「この人はどんな人だろう」とワクワクしながら、観察するつもりで臨めば、気の進まない飲み会の席でも、気持ちは動物園を散歩しているときと変わりません。そこにいるのは、みんな自分と同じ。失敗もするし、傲慢なところもあるけれど、それを克服し、成長するために現世に生まれてきた、たましいです。おもしろくて、いとおしい、「人間」という動物なのです。

そんなふうに考えて、マン・ウオッチングを、宴席のひそかな楽しみにしてみてください。苦手意識が薄れるはずです。

それでも、どうしても嫌な相手と同席しなければいけないときは、101ページで紹介した「卵オーラ法」で、自分をガードしてから出かけましょう。また、体が疲れすぎていないかどうかも、充分チェックしてください。体がきついと感じるときは休みを上手にとったり、お風呂にゆったり入ってください。たっぷり休養をとれば、苦手と思っていたことも、案外スイスイこなせるようになるものです。仕事のつきあいを楽しむ余裕もきっと生まれてくるでしょう。

もしかしてセクハラ？ 男性が多い職場では、こんな「心の防御」も必要です

セクハラという言葉は、今ではまったく珍しくなくなりました。

女性と男性が同じ職場で働いていると、仕事仲間というだけではない感情が生まれても不思議ではありません。それが恋愛になり、職場結婚になる場合もあるし、不倫、セクハラという形になる場合もあります。

セクハラに関しては、近年、あちこちで問題にされるようになり、企業内で講習会なども開かれるようになりましたから、状況は改善されたように見えます。けれど、なかなかどうして、被害にあう人はあとをたちません。大企業ほどセクハラは多いようで、訴えた被害者のほうが逆に白い目で見られるという気の毒なケースも見受けられます。

セクハラをした上司は、かわいいと思う気持ちが拒絶されて憎しみになり、やがていじめが始まります。周囲の同僚は見て見ぬフリか、あるいは「一人だけかわいいがら

れて」という嫉妬から、悪口やいじめに走ります。被害者は結局、悔しい思いだけして、会社を辞めざるをえなくなることもあるのです。

最近では、これは女性上司の下についた男性にも起こりうる事態だと聞きます。そんなセクハラに負けないために、そもそもセクハラにあわない防御のコツを身につけていただきたいものです。

「私はセクハラにあいやすい」ということは、自分でわかると思います。何度も同じ目にあっているという相談者もいました。

そういう人は特に、「会社ではオヤジになる」ことが必要です。女性らしさやエレガントさは、会社では出さない。それを自分のルールにしてください。

厳しいようですが、セクハラにあいやすい人は、無意識のうちに女性である自分をアピールしてしまっているのです。そのオーラを感じとるからこそ、下心いっぱいの上司が近づいてくるのです。これも「波長の法則」です。

ですから、会社の中ではメイクもファッションもできるだけ地味にして、「オヤジ」モードで行動しましょう。大げさにいえば、依然として男性社会である会社はイスラム圏と同じ。女性は黒いベールで顔を覆うぐらいの覚悟でいるほうがいいのです。

「そんなの楽しくない」「どうして女性だけがそんな肩身の狭い思いをしなければいけないの」と反発する人もいるかもしれません。けれど現状では、セクハラに足をすくわれずに仕事をするためには、それぐらいの覚悟が必要ではないかと私は思います。

女性である自分を精一杯美しく演出したいという気持ちは、わかります。でもそれは社外で満たせばいいことです。社外ではまったく別人に見えるというのも、意外性があって、またおもしろいのではないでしょうか。

「私は仕事をする場に女性性を持ち込まない。性別の枠を超えたところで、対等に仕事をさせていただきます」

そういうオーラを発している人に、セクハラの魔手は伸びてきません。

Step 4

「時間」を上手に使えると働くのがもっと楽しみになります

休みの日は徹底して休むこと これが一週間を有効に使うコツです

「ああ、忙しい」が口グセになっていませんか?

バタバタとあわただしく仕事に追われていると、アッという間に一日が過ぎます。濁流のような時間の流れに飲まれて、「どうしてこんなに大変なんだろう」と焦る毎日を送っている人も多いのではないでしょうか。

当たり前のことですが、私たちの持ち時間は永遠ではありません。どんな人にも平等に、「限り」があるのです。

けれど、じつは、どんなに忙しく仕事をしている人でも、いいえ、忙しい人ほど工夫しだいで時間を豊かに使うことができるのです。

その方法をいくつか紹介しましょう。

コツは、自分のやっていることにメリハリをつけることです。

仕事をしているときは、仕事に集中する。休むときは、集中して休む。簡単なことなのですが、「忙しい」が口グセになっている人はたいていこれができていません。

私たちは、「ゆっくりしたい」と口ではいいながら、「休むことが苦手」です。

土日にまで出勤して仕事をする。仕事を家に持ち帰る。心身の疲れがとれないまま、月曜日を迎える。疲れがたまっているので仕事の効率は下がる一方。そして残業、休日出勤……。これでは悪循環です。

まず一週間でワンサイクルと考えましょう。

特別なことがない限り、金曜までにその週の仕事はすべて終える努力をしてください。そこをダラダラやってしまうと仕事も中途半端、休みも中途半端になります。

そして休みの日はしっかりと休む。週に二日休めるなら、一日は肉体の休息日、一日は精神の休息日と決めてください。この休息日をあなどってはいけません。心身ともに疲れをとるなら、この二種類の休みがどうしても必要です。

肉体の休息日は、家にこもって何もしない日です。一日中パジャマで過ごすのもいいでしょう。眠りたいだけ眠り、ゴロゴロして、体の疲れをとってください。

精神の休息日は、自分の好きなことをする日です。友人や家族と旅行に行ってもいいし、アウトドアを楽しんでもいいでしょう。そこから天職が見つかるかもしれません。

週に一日しか休めないなら、肉体の休息を優先しましょう。「まだ大丈夫」と過信していると、病気になって初めて疲労に気づく、ということになりかねません。休みを曖昧にしてはいけません。「今日は体を休める日」「今日は心を休める日」と目的をはっきり決めて、ゆっくり休む。それがポイントです。

この二日の休みを確保すれば、月曜から金曜までは働きづめでもかまわないと思います。ともかく中途半端にしないことです。

すると月曜日の朝は驚くほどリフレッシュした自分に気づくはずです。当然、仕事にも全力投球できます。そんなふうに時間のメリハリをつければ、毎日の暮らしがずいぶんと変わってきます。

「忙しい」「疲れた」などという口グセも、いつのまにかなくなっているでしょう。

☼書き込むだけで「時間」が生まれる魔法のスケジュール帳

あなたのスケジュール帳を開いてみてください。

どんな予定が書いてありますか？

打ち合わせの時間、会議の日程など、仕事がらみの予定だけが入っている人は要注意。仕事以外のマネージメントができていないということです。

さっそく、ここ一カ月を振り返って、「肉体の休息日」「精神の休息日」がどれだけとれていたか、書き込んでみてください。今までまったく意識していなかったなら、この先一カ月、どこで休みをとるか、具体的に書き込んでいきましょう。

私の場合、カウンセリングのほか、講演会、本の執筆、その合間に雑誌の取材やテレビ出演などの仕事が入りますから、時間が不規則になりがちです。何も考えないでいると、それこそ仕事に流されて一日の休みもとれないでしょう。

ですから、私は見開きで一カ月が見渡せる大きなスケジュール帳を使っています。

一週間、一年が見渡せるページもありますが、予定を立てるときは、まず一カ月を見渡せるページにすべての仕事の予定を書き込みます。同時に、どこで体を休めるかも書き込むのです。

私の場合は、今の状況では月に一、二日程度しか休みはとれないので「肉体の休み」を優先させてスケジュールを組んでいます。この休みのときには、まったく何もしません。一日中、家でのんびりします。外に食事に出るとしても、ごく近所です。家族でどこかに遊びに行ったりする日は「休み」とは考えません。休日に出かけてしまうと、それだけで一日が終わった気がしてしまい、体を休めることができないからです。

また、休みとは別に月に一度は仕事を入れない「メンテナンスの日」をとっています。この日は雑誌の撮影用に美容院に行ったり、マッサージを受けて体を整えたりする日です。仕事ではありませんが、私の中では「仕事」と位置づけています。

そうやって手帳に書き込むことによって、自分の時間のすべてがヴィジュアルとして把握できます。一カ月単位の見開きページを開ければ、「家族との時間がとれていないな」「あの友人としばらく会ってない」「体を休める日が少なすぎるかな」などということが一目瞭然。ですから、次の予定を立てるときに軌道修正がしやすいのです。

また、いかに時間を無駄に使っていたかもわかります。

時間に追いまわされていると感じているなら、まずは、大きなスケジュール帳に買い換えましょう。そこに、仕事だけでなく、休みのスケジュールもしっかりと書き込んでください。肉体の休息日と、精神の休息日、二種類のマークが必要です。

精神の休息日は、家族サービスの日、恋人や友人と過ごす日など、人によってさまざまでしょう。

ほかの誰でもない、あなたの時間です。自由に決めて、自由に使っていいのです。主体的に自分の時間をスケジューリングしようと決めたとたんに、時間の流れが驚くほど変わります。濁流のように混沌と流れていた時間が、整然とよどみなく流れるようになり、仕事もプライベートもゆとりを持って楽しめるようになるのです。

✡ どうしても休みがとれない、仕事でストレスがたまるという人への処方箋

先の項で書いたように、仕事をしている時間はとにかく力を入れて徹底的にやりましょう。けれど必要以上のストレスをためてしまうようなことになってはいけません。

会社に勤めているとどうしても意に染まない仕事もやらなくてはいけませんが、そういうときは、仕事に対するイメージを変えてみてください。

たとえば私の場合、取材や講演で各地を飛び回っていますが、それは「旅行」と考えるようにしています。もちろん行った先でハードなスケジュールをこなさなければなりませんが、仕事ですから宿や食事の手配はすべてお任せ。「考えようによっては」ラクなのです。また、旅先では、その土地ならではの、おいしい食べ物もいただけます。今まで会ったことのない人と出会い、話をすることもできます。それは新鮮で楽しい刺激です。

こんなふうに「考えようによっては」という部分は、どんな仕事にもあるのではな

いでしょうか。仕事の中にうまく楽しみを見つけだすことができれば、「毎日がお休み」ととらえることさえできるでしょう。

心の中で楽しんでいたからといって、仕事の成果が出ない、ということはありません。肩の力が抜ける分、かえっていい仕事ができるようになることのほうが多いのです。

これは、実際に忙しすぎてなかなか休みがとれないという人にも、休んではいるけれどうまく時間を使えていないという人にとっても有効な方法です。

休みの日といっても、出かけてしまえば体を動かしますし、頭も使います。そういう意味では仕事と同じです。ですから、休みがどうしてもとれないというときには、上手に体と心を休ませるように、仕事へのイメージを楽しいものに変えるといいのです。

また、ステップ1で書いたように、適職と天職を分けていれば、適職のほうの仕事が忙しくても「これはここだけのこと。お金をもらって時間を切り売りしているのだから仕方ない」と割り切ることができます。

「時間を切り売りする」というと嫌がる人もいますが、「私はこの時間をいくらで売っている」と考えたほうが、いろんな感情に惑わされることがなくなり、仕事がしやすくなる場合が多いのです。

お金を介在させることで、割り切って仕事をすれば、ストレスはぐんと減ります。ドライな考え方に思えるかもしれませんが、ホットな喜びは天職で見つけるようにしてください。

そうやって心の負担を軽くする工夫を続けていれば、どんなに仕事が忙しくても、それに負けない新たなエネルギーが生まれてくるはずです。

次の日を元気に頑張れる、ちょっと贅沢なリラックス法

仕事が立て込んでくると体力的にも精神的にも余裕がなくなり、仕事そのものだけでなくプライベートでもいろいろな影響が出てくるでしょう。

それが長く続くと、いつかはその不満が爆発してしまいます。

勤務中は仕事に集中するといっても、一日中集中しつづけることはできません。集中すべきときこそ「息抜き」は必要です。

先の項で一週間のメリハリについて書きましたが、それは一日の中でもいえることです。集中して、短期間のリラックスでエネルギーチャージ、そしてまた集中と、リズムをつくることが大切なのです。

会社勤めの人なら、ランチタイムを上手に使ってください。仕事をしながら片手でおにぎりを食べたり、コンビニで買った菓子パンを缶コーヒーで流し込んだりしていては、充分にリラックスできません。

よほど忙しいときでない限り、ランチは会社の外に出て食べましょう。

オープンテラスのあるお店で、ゆったりとイタリアンランチ、あるいはコーヒーとベーグルサンドをテイクアウトして、緑あふれる公園のベンチでピクニック……。その気になれば、素敵なランチをいろいろと考えつくのではないでしょうか。

ウィークデーだからといって、遠慮することはありません。ランチタイムをリゾート感覚で楽しめば、午後からの仕事の効率もあがるはずです。

また、いつも誰かと一緒に食べるのではなく、たまにはひとりで隣の駅まで足を伸ばし、新しいレストランに入ってみてもいいでしょう。ひと駅違うだけで、街の雰囲気は変わります。新鮮な驚きが疲れた心身を活性化してくれるでしょう。「面倒くさい」と思わずに、ぜひ試してみてください。

そんなランチタイムもとれないぐらい仕事漬けになっているときは、残業のあと、思いきってリッチなホテルライフを楽しむという手もあります。

会社の近くにある少しいいホテルを一人で予約してみましょう。ゆったりした部屋にこもってのんびりしてもいいし、プールやスポーツジム、エステなどを利用するのもいいでしょう。会社ではクタクタになるまで働いて、誰にも優しい言葉をかけてもらえなかったとしても、ホテルでは「お客さま」として大切に扱ってもらえます。それだけでも癒し効果は抜群。毎日、無理して終電に駆け込んでいるなら、たまには贅沢に外泊してみましょう。

そのための出費は惜しんではいけません。ストレスの発散のために居酒屋で深酒をするのにお金を使ったり、買い物に走って不必要なものまで買い込んでしまうよりも、リラックスできる「時間」を買うほうがずっと価値があります。

今はインターネットなどで探せば、豪華な部屋に格安で泊まれることもありますから、ぜひ利用してみてください。

私は、仕事で疲れたときはよくホテルの高層階に泊まります。泊まるのが無理なら、最上階のラウンジでお茶を一杯飲むだけでも、ホッとします。目の前には、きらめく夜景が広がり、その一つひとつの明かりの下で、いろんな人が泣いたり笑ったりして生きている。そう思うと、悩みがあったとしても「しょせん小さなこと」と思えるし、それによって明日からまた頑張ろう、という気になれるのです。

どんなに忙しいときでも、二十四時間の中のどこかに、自分のための時間をつくることはできるはず。仕事漬けになるもならないも、あなたの工夫しだいなのです。

時間の「長さ」は皆平等に与えられています けれど時間の「質」はその人しだいでいくらでも変えられます

最近、仕事が忙しくて、誰ともつきあっていない。友だちに誘われても、断ってばかり。ついには声もかけられなくなってしまった……。

そんな淋しい話をときどき耳にします。仕事は私たちを成長させるうえで、なくてはならないものですが、同様に、遊ぶこと、友人とつきあうことも必要です。仕事の犠牲にして、切り捨ててしまってはいけません。

じつは仕事ができる人ほど、遊ぶことも上手なのです。

仕事を離れた遊びやつきあいの中でこそ、新しい仕事のアイデアがわいてくることがよくあります。ですから、「時間がないから」「仕事が忙しいから」と断ってばかりいないで、人と会う機会、遊ぶ機会があれば、積極的に顔を出しましょう。自分でそういう機会をつくるのもいいことです。

わざわざそういう時間をとろうとすると難しいかもしれません。けれど、どんなに忙しいときでも食事はするでしょう。その食事の時間を誰かと一緒に楽しむだけ、と考えればいいのです。ダラダラと深酒をする必要はありません。

本当にご飯を食べるだけ。おいしいお店を予約して、ざっくばらんに近況報告をしあうだけでいいのです。食べ終わったらワリカンで支払って帰ってくる。それだけでも、情報交換ができます。知らなかった話を聞けて、知識が増えます。すぐには仕事に役立たないかもしれませんが、それは確実にあなたの心にストックされます。あるいは、誰かのジョークに笑い転げるだけでも、ストレスの発散になるでしょう。

そういう時間の使い方の達人といえば、作家の林真理子さんです。

あれだけの小説を書き、講演会をこなす売れっ子作家でありながら、オペラや歌舞伎が大好きで、頻繁に足を運んでいらっしゃる。じつに多趣味な方で、おつきあいの幅も本当に広いのです。

私もときどき、「ご飯、ご一緒しましょうよ」と声をかけていただいて、何人かでレストランへ繰りだします。みんなでワイワイいいながら、おいしいものを食べて、サッと解散。長居はしません。それでも仕事の参考になる話や、楽しい話で盛り上がって、みんな大満足。全員がそれぞれ人脈を広げ、刺激的でワクワクする時間を過ごし、しかもおいしい夕食が食べられる。こんなに有益な時間はありません。

そんな食事会の主催者になることの多い林さんですが、待ち合わせの場所に行くと、先に来ていて、その場で原稿用紙を広げていらっしゃることもしばしばです。そして、人がそろうと、ササッと片づけて、たとえば老舗のてんぷら屋へ。「このサツマイモのてんぷら、食べたかったのよね」などといいながら満面の笑顔です。

わずかな時間を見つけては仕事をし、気持ちの切り替えも早い。ただ、食事をしながらもネタ探しは休みません。メンバーの中に料理研究家がいたりすると、「わあ、おもしろそう。どういうお仕事なの？」と話題を振ります。そのあと、林さんの書かれる小説には、リアリティのある料理研究家がしっかり登場するのです。

夕食を食べに行く感覚で、人と会うこと。すきまの時間も利用して仕事をすること。すばやく気持ちを切り替えること。どんなときでも仕事のヒントを探すこと。

あれだけの仕事量をこなしながら、多くの人とつきあい、遊びや趣味をたっぷりと楽しむコツはここにあるのだろうと、本当にいつも感心します。

「時間がない」「人と遊べない」と不満がたまっている人こそ、ぜひ林さんに学んでください。

ただし、一緒に食事をしても愚痴や不満しかいわない人、ダラダラと時間を無駄にしても平気な人は避けたほうがいいでしょう。あなたの不満もさらに募るし、ますます時間を無駄にすることになるからです。

自分のやりたい仕事を見つけて、毎日、忙しく活動している人。だからこそ時間の大切さを知っている人。ワクワクするような楽しい話をしてくれる人。そういう人を見つけて、明日さっそく誘ってみましょう。

時間の「長さ」は変えられません。持ち時間はみんな同じ、24時間です。けれど時間の「質」は変えられます。心を込めて工夫をこらし、大切にしようとすることで、同じ長さの時間とは思えないほど充実してきます。

「忙しい」「時間がない」がログセになっていませんか？

自分が本当にやりたいことのためなら、時間はつくれます。

私はオペラを歌うことが大好きで、天職だと思っています。イタリアへ留学して、歌のレッスンを受けたいので、できればイタリア語をマスターしたいというのが今の夢です。けれど、その時間がなかなかとれません。

けれど、じつは、これは言い訳なのです。というのは、人は本当にやりたいと思っていることなら、どんなに忙しくても、頑張ってやりくりして時間をつくるものだからです。

人は、どんなに忙しいときでも、食べないということはありません。食事と同じぐらい自分に必要なことだと思えば、絶対にすきまの時間を見つけたり、ほかの予定をキャンセルしたりしてでも、やろうとするはずです。

「時間がない」ということは、「やる気がない」ということ。自分を振り返るとそれがよくわかります。

ただ、私の場合は、「今は仕事を集中的にする時期」と割り切って、イタリア語はあきらめました。いつかまた余裕ができたときに、再開したいと思います。そうやって割り切ったので、「やりたいのにできない」というストレスがひとつ減りました。

あきらめることも、ときには大切です。何かを得ようと思ったら何かを捨てなければ無理なのです。

ただ、本当にできないかどうかは、よく考えてください。たいていのことは、スケジューリングさえきっちりできれば、やれるはずなのです。

ですから、やはり「時間がない」という言葉を使っているときは自分を見つめ直しましょう。どんなに忙しくても、必ず時間のすきまはあります。また、じつは無駄に潰してしまっている時間もあるでしょう。そういう時間を洗いだしてみて、それを活用できないか、考えてください。

私の場合、歌のレッスンだけは、どうしてもやりたかったので、仕事がどんなに立て込んでいても、必ずスケジュール帳に書き込んでいます。

くり返しますが、本当に自分にとって必要なこと、大切なことのためなら、時間は必ずつくれます。そのためにも、あなた自身が時間の主人になってください。時間をどう使うかは、あなたが自由に決めていいのです。

体を休める時間、心を癒す時間、やりたいことに挑戦する時間、家族と過ごす時間、友人と楽しむ時間、そして、仕事の時間。すべてあなたの人生を彩り豊かにふくらませるための時間です。

限りある時間の中に、どうやってそのすべてを配置するか。人それぞれ、工夫しだいです。厳しいようですが、自分の時間のスケジューリングができないようでは、人生のスケジューリングもできません。このことはぜひ頭に入れておいてください。

ファッションのコーディネート上手を目指すのと同じように、時間のコーディネート上手になりましょう。そして、あなたらしい色彩で人生を美しく織り上げてください。

「質のいい眠り」をとっていますか？ 睡眠時間は大切な人生の作戦タイムです

人生という長い時間をコーディネートするためには、一日という短い単位で、時間の上手な使い方を考えていくことも大切です。朝、昼、夜の区別をつけて、それぞれにもっとも適した行動をとっていくといいでしょう。

朝は、一日の仕事の始まりとなる大切な準備の時間です。朝の過ごし方で一日が決まるといってもいいでしょう。ギリギリまで眠っていたい気持ちはわかりますが、できればゆとりを持ってすっきりと目覚めたいものです。

そのためには、質の高い睡眠をたっぷりとることが必要です。前にも書きましたが、睡眠中、私たちはたましいのふるさとであるスピリチュアル・ワールドに戻って、知恵を授けられています。睡眠時間はいわば、たましいの作戦タイムです。ぐっすりと眠ることができていないと、たましいにエネルギーが補給されません。

いいアイデアが思い浮かばなかったり、仕事でミスが続いたりしているときは、ぐっすり眠れているかどうかチェックしてください。

いい睡眠をとるためには、できれば深夜十二時より前に眠りにつくほうがいいでしょう。霊界の扉が開きやすいのは、午前一時から二時の間です。この時間帯の前には眠りに入っているほうがいいのです。

また、仕事のことが気になって眠れないというときは、時間をかけてお風呂に入ってください。忙しいとシャワーだけですませがちですが、それでは仕事で生じた念を追いだすことができません。湯船につかって毛穴を開き、汗とともに汚れたエネルギーを体の外に出して浄化させることが必要です。

自分の体を慈しむ気持ちで、ていねいに洗ってから、再び湯船に入る。これを最低二回はくり返してください。

最後に、再び汚れたエネルギーが入ってこないようにロックするつもりで、冷たいシャワーを浴びて、毛穴をひきしめましょう。

こうすると、すっきりと気分転換ができて、いい眠りが得られます。

また、部屋の中に観葉植物を置いて、そのエネルギーをもらったり、スピリチュアルなクリーニング・パワーのある水晶を枕の中に入れたりしても効果的です。

拙著『スピリチュアル セルフ・ヒーリング』（三笠書房《王様文庫》）でも、質の高い睡眠を得るための、さまざまなテクニックを紹介しています。「眠る前に聴くCD」も付録についていますので、試してみてください。

翌朝は、きっといつもと違う快適な目覚めが待っているはずです。

☼その日一日の充実度が劇的に変わる「朝の過ごし方」

朝の時間の過ごし方はその日一日だけでなく、人生の充実度にまで影響します。

朝目覚めてから仕事場に向かうまでの時間は、自分の波長を高める時間にしてください。それが、いい仕事をすることにつながります。

波長を高めるためには、五分でいいから、メディテーションの時間を持つことです。場所はどこでもかまいません。時間がなければ通勤電車の中でもいいのです。

まず軽く目を閉じてください。そして、自分が心地よい光を浴びているイメージを描いてみましょう。できるだけ快適なイメージを描くことがポイントです。今まで見た中で、もっとも感動した景色、たとえば緑したたる雄大な山や、透明感あふれる夏の海など。そして、その中にいる自分をイメージするのです。

こうすると、自然に心がリラックスして落ち着いてくるでしょう。

これができたら、今日一日の仕事の中で、克服したいテーマを決めてください。たとえば、「苦手な上司に、朝だけでも心からの笑顔を向けよう」「企画会議では、自分のアイデアを自信を持って主張しよう」というように、今までできていなかったことを、今日一日だけでもやる、と決めるのです。

そういう高い波長と決意は、必ずあなたのガーディアン・スピリットに届きます。望んでいた結果に、少しずつ手が届くようになるのです。

そのためにも、一日の仕事が終わり、家に帰って眠りにつく五分前に、もう一度、メディテーションをしてください。朝決めたことができたかどうか。できなかったなら、それはなぜか。後悔する必要はありませんが、反省は必要です。それを明日へのエネルギーにしてください。

そして、忘れていただきたくないのは、感謝です。

今日一日、救われたこと、うまくいったこと、学べたこと、さまざまあるでしょう。現世に命を与えられ、いろいろな経験をさせてもらえた。そのことに対して、私たちはつい鈍感になってしまいます。毎日、眠る前の五分でいいのです。時間を決めて、感謝の気持ちをガーディアン・スピリットに伝えましょう。

朝と夜、二回のメディテーションを習慣づけることで、毎日が少しずつ変わります。上手に気分転換ができるようになり、生活が充実するようになるのです。そうすれば一週間が、一カ月が、一年が変わります。やがて人生の時間そのものが、今よりずっと明るく輝きだすでしょう。

Step 5

お金を味方につけるにはどうすればいい?

☼ お金を持っている人が豊かなのではありません「生かして使う」ことができる人こそ豊かなのです

お金の話を誰かとすることがありますか？

こう書くと、消費者金融のCMのコピーのようですが、実際、私たちはお金の話をなんとなく避ける傾向があるように思います。給料の話、税金や年金の話、携帯電話代、食費や住宅ローン……。家族とでも、ごくたまにしかしないのではないでしょうか。

日本人には清貧志向があるので、お金のことを口にするのは下品な気がするのでしょう。けれど、お金それ自体は、いいものでも悪いものでもありません。ただの紙であり、金属です。問題は、それを美しく扱うかどうかで、違いが出てきます。美しく扱えればお金も美しいものになるのです。

現世に生まれた私たちは、お金がないと生活できません。これもよくできた神のはからいで、お金をどう扱うかを学ぶことも、とても大切な私たちの課題なのです。

ですから、お金の話をしたり、考えたりすることを、悪いことであるかのように感じる必要はまったくありません。それどころか、お金を上手に稼ぎ、使い、貯めるためには、お金についてきちんと考えることが何より必要です。お金も時間と同じで、それを大切にしない人が上手に使えるはずがないのです。

まず、お金を大切にするということはどういうことなのか、考えてみてください。使わずに貯めること＝お金を大切にすること、ではありません。

お金は使ってこそ生きるもの。流してこそ入ってくるものです。

貯めるだけで使わないと澱んできます。水と同じです。目的もなく貯めて、通帳の残高を見てほくそえんでいるような人は、お金を大切にしているとはいえません。

お金そのものに罪はありませんが、お金には人の念がこもっていますから、貯めすぎると、そのマイナスのエネルギーに負けてしまいます。その意味でも、入ったら流していくほうがいいのです。

では、お金とどうつきあえばいいのでしょうか。

いい使い方とは、お金が生きて働く使い方。悪い使い方とは、お金が死んだように価値をなくしてしまう使い方。つまり、お金を「生き金」にするか「死に金」にするかが問題なのです。

あなたが毎日使っているお金は、生きて働いていますか？　それとも死んでしまっていますか？　一度、よく考えてみてください。

たとえば、ステップ4でも書きましたが、忙しくてストレスがたまる日々が続いているときに、自分の休息のためにちょっといいホテルを予約してそこに泊まるのはいいお金の使い方といえます。少々高くても自分にお金が返ってくる使い方なのです。

一方、そこでストレス発散とばかりに、お酒を飲みに行ったりするのは、悪いお金の使い方。ひどくすると、二日酔いになって翌日の仕事にさえ差し支えることもあるはずです。つまり、お金を「生き金」にするか、「死に金」にするかは自分しだいなのです。

自分のために、あるいは人のために、生きて働くお金を使う。それが、本当の意味で「お金を大切にする」ということです。

同じ一万円でも心を込めればそれ以上の価値が生まれます

お金を「生き金」として使って流していれば、お金は次々とあなたのもとに返ってきます。誰でも、自分を大切にしてくれる人のそばに行きたいでしょう。お金も同じだと考えてください。

では一番いい使い方は何かというと、人のために使うことです。たとえば、ユニセフや「国境なき医師団」などのボランティア団体に寄付をしてもいいでしょう。そのお金が、誰かの命を救うかもしれないわけですから、最高の生き金です。

ただし、自分のために使うことが悪い使い方というわけではありません。生き金であればいいのです。

人のためにお金を使うことはなかなか難しく、つい自分のためだけに使ってしまいがちですが、そこはできるだけバランスをとりましょう。たとえば家族や友人に、ちょっとしたものをプレゼントするだけでもいいのです。相手に喜んでもらえるなら、それは生きて働く価値あるお金です。

結婚や就職など、何かお祝いごとがあったときの「ご祝儀」も同じです。結婚式などが重なると、出費がかさんで大変だろうと思いますが、お祝いごとに使うお金は生き金です。

見栄をはって多額を包んだり、世間の相場を気にしたりする必要はありません。自分の収入に見合った額を包めばいいのです。見栄をはることこそ、お金を無駄に使うことです。

大切なのは金額ではなく、そこにどれだけ心を込めたかです。これはどんな場合にもあてはまる、スピリチュアリズムの共通の法則です。

ご祝儀を包むときは、そこにどれだけ心を込められるか、それを考えましょう。心を込めれば、お金の価値は高まるのです。

その方法として、私はご祝儀には必ず一筆添えることをお勧めしています。

祝儀袋の中に、たとえば「おめでとう。新しい人生のスタートですね。お幸せに」などという直筆のカードが入っていれば、もらった人はどんなにうれしいでしょう。

一番大切なのは、相手を祝福しようとする気持ちです。お金はそれをあらわす道具にすぎません。その気持ちがたくさんあれば生き金に、なければ死に金になるのです。

私たちはつい金額や祝儀袋の体裁ばかりを気にしてしまいますが、それは本末転倒です。形よりも、心を大切にしてください。

私のオフィスに定期的に相談にこられる踊りのお師匠さんは、カウンセリング料を封筒に入れてスタッフに渡してくださるのですが、その中に必ず一文入れてくださいます。

「前回、先生にご相談したおかげで、弟子が無事に名取りとなることができました」などと感謝の言葉が書いてあるのを見ると、本当にうれしくなります。

年配の方の中には、そういう心遣いが自然にできる方が多く、昔から伝わる日本人の美意識の高さがしのばれます。

そんなふうに心を込めると、同じ一万円を包んでも、それ以上の価値を発揮します。反対に、世間体を気にして、心を込めずに包んだお金は、ただの紙と同じぐらいの価値しか持ちません。それもまた無駄遣い、死に金になってしまいます。

同じ一万円が百万円の力を持つか、それともゼロ円になるか。

それは使う人しだいです。一万円を百万円の価値にまで高めるような、お金の使い方をしてください。ポイントは心を込めること、それだけです。

お金に対する不満があるときは、自分の「働き」をお金に換算してみましょう

あなたは自分の給料に満足していますか?

不況が長引いて、賃上げどころかボーナスカット、残業代カットの会社も珍しくない今、大満足という人は少ないのではないでしょうか。

けれど、お金の価値は、前に書いたように、額面どおりではありません。

月々いただいている給料の額面はともかく、その価値を考え直してみてください。

あなたがもし、その額に見合う以上の働きをしているなら、「安い」と感じて当然です。反対に、正直に考えて、もらっているほどには働いていないと思うなら、同じ金額でも、「もらいすぎ」ということになるのです。

また、会社からもらっているものは、お金以外にもあります。安定した生活を営めること、社名にプライドが持てること、福利厚生や有給休暇もあるでしょう。経費として落とせるお茶代、食事代、交通費……。それらは会社員ならではの特権です。そ

れも忘れずにカウントしてください。

それでも、やはり「見合っていない」と思うなら、真剣に転職を考えたほうがいいでしょう。働きに見合うだけの給料を出してくれる会社を探せばいいのです。資格や技能を身につける必要があるなら、自分に投資するつもりで勉強しましょう。そのための時間もお金も、本当に必要ならつくれるはずです。

一番よくないのは、自分を分析したり、高めたりする努力をせずに、会社に対して不平不満だけを感じていることです。深夜の居酒屋などで、会社の悪口をいって盛り上がっているサラリーマンがいますが、自分を棚に上げて愚痴ばかりこぼしていても、何も変わりません。テンションが下がるだけですから、「波長の法則」で、ますます状況は悪くなるでしょう。

愚痴をいう人は、じつは会社に依存しているのです。子どもが親に甘えて反抗しているようなもの。親がいなくなると困って泣きだす子どもと同じです。

自分の人生で起こることはすべて、自分の責任。胸を張ってそういえる人が、本当の大人です。

今の給料がその額なのも自分の責任。まずそう考えることから始めましょう。

もちろん、会社の経営方針が悪くて赤字に転落し、そのせいで給料が下がったという場合もあるでしょう。けれど、たとえそうだとしても、それは会社の上層部だけの責任でしょうか。

会社組織は、社長を家長とした「家族」ともいえます。もちろん家長の責任は絶大ですが、女房役、息子役、娘役に責任がないわけでは決してありません。会社から給料をもらっている限り、その額に見合うだけの責任は全員にあるのです。

「上がバカだから、業績が伸びない。給料が上がらない」というのは、厳しいようですが、責任転嫁です。上司がバカだと思うなら、自分が経営陣に入れるぐらい出世しようとしてみましょう。あるいは独立して、今の給料分を稼ぎだしてみましょう。

そのとき初めてわかることがあります。経営陣の苦労、社員を養うことの大変さ。経費も交通費も有給休暇もない中で、利益をあげることの難しさ……。

実際にはできなくても、イメージ・トレーニングをしてみてください。

今、自分がヒラ社員だからといって、ヒラ社員の視点だけを持っていればいいわけではありません。ヒラ社員だからこそ、経営者の視点に立って会社のことを考えてみることが大切なのです。たとえば、一人が経費を１０００円無駄遣いしたとき、社員全体ではいくらの損失になるのか。一人の給料を上げるために、会社全体ではどれだけの利益をあげればいいのか。そういう大局的な見方ができれば、やがて実際に経営幹部になることも夢ではないでしょう。

ところで女性の場合、働いていると、金銭面以外にも、デメリットを感じる場合があると思います。けれど、そこで悔しさを感じることもまた学びです。厳しい環境は、自分自身を鍛えるダンベルのようなもの。どうやって乗り越えるかを前向きに考えましょう。

たとえば何か行動を起こして、会社の体質を改善することはできませんか？　以前、自分の勤める銀行を相手に裁判を起こし、正当な給料を勝ち取った女性がいました。行動することで道が開けることはあります。

自分にはそこまでの時間と労力は使えないし、今のままでは満足のいく給料をもらうことも無理と判断するなら、真剣に転職を考えましょう。「今より悪くなるかもしれない」とリスクを恐れていては、「カルマの法則」で、今以上のものは得られません。思いきってリセットが必要なときはあるのです。

けれど、もし「私が選んだ適職」として割り切れるのであれば、今の職場で働きながら、天職を充実させることに力を注ぐほうがいいでしょう。

どの道を選ぶか、それはあなたが自分の力で決めなくてはいけないことです。その中に学びがあり、成長があります。

経営者になったつもりで、あるいは自分で自分のマネージャーになったつもりで、もう一度、自分の給料を見直してみましょう。誰かのせいにするのではなく、自分の責任でその額の価値を判断し、今からどういう働き方をすればいいのかを決めましょう。

すべては自分の責任。そういう覚悟ができたとき、給料への不満は、明日への意欲に変わっているはずです。

✿ お金はその人のレベルに合わせて入ってきます まずは自分を充実させることです

学生時代の同級生や同期入社の同僚が、自分より多くの額の給料をもらっている。それを知ったとき、素直に喜べる人は少ないでしょう。年齢が近ければ近いほど、友情と同時にライバル心もあるからです。

「どうしてあの人だけが……」

「私だってもっと評価されてもいいのに……」

そんな妬ましい思いが渦を巻いてしまう気持ちはわかります。

そんなとき、想像してみてください。あなたが今、妬ましく思っている相手が、もしいなかったら……。あなたがその人に代わって、もっと稼げるようになれますか？今以上に頑張ろうと思えますか？

答えはおそらくノーでしょう。人は、放っておくとラクなほうに流されるものです。ライバルがいるからこそ、「私も負けていられない」「もっと頑張って追いつこう」とよう。

奮起することができるのです。

ライバルは、自分を高めてくれる存在なのです。

そこに気づけば、自分に刺激を与えてくれる友人がいてよかったと思えてくるでしょう。

人を妬むと、それだけで幸運も金運も逃げていきます。

「妬ましい」と思うマイナスの感情は、それだけで自分自身を疲れさせ、波長を低めるからです。すると今以上に実力を伸ばすことができなくなります。当然、収入が増えることもないでしょう。

同期より自分のほうが劣っていると認めるのはつらいかもしれません。けれど、そうなるには必ず理由があるはずです。おそらく相手のほうが、より多くの努力をしてきたのです。謙虚な心で、その努力をじっくり見つめてください。

周囲の人にそれとなく話を聞いてもいいですし、直接、本人と話してもいいでしょう。自分にはない、いいところ、すごいところが必ず見つかります。それを見習えばいいのです。

「うらやましい」「ああなりたい」という気持ちをパワーに変えましょう。

ライバルは自分を磨く磨き石。それに気づいたとき、あなたの波長がぐんと高まります。すると、自然にチャンスに恵まれ、仕事が充実してきます。お金はそのあとからついてくるのです。

欲しいものがあるなら具体的にイメージしましょう 本当に必要なお金なら必ず入ってくるようになっています

「もっとお金があればいいのに」と、ため息まじりにつぶやいていませんか？

誰でも、通帳の額は多いほうがいいと思うでしょう。

けれど、単にお金が多ければいい、というものではないと私は思います。使い道もないのにお金だけあっても、そのお金は価値がないも同然です。

お金は「生き金」として使う中で、価値が生まれてくるものです。

あなたが本当に欲しいものがあり、かなえたい願いがあるなら、そのために必要なお金をつくることは必ずできます。必要な金額だけ貯まるようにできているのです。

たとえば、家を買いたいと、漠然と思っているだけでは、お金はつくれません。どんな家なのか、具体的にイメージしてください。場所、広さや間取り、インテリア、駅からの距離、庭はあるかどうか、外壁の感じは……。できるだけ詳しくイメージすれば、金額はだいたい決まってきます。強くイメージできれば、「よし、これだけ貯めよう」という意欲がわくでしょう。目的がはっきりすると、努力ができます。すると、時間は多少かかるかもしれませんが、そのお金は必ずつくれるのです。

くり返しますが、人の「思い」の力をあなどらないでください。心から強く念じたことは、必ず実現します。

ただし、単に「お金が欲しい」と思っているだけでは、お金は入ってきません。「何のために」そのお金が欲しいのか、まず、それをはっきりさせてください。

そのとき、たとえば「アラブの宮殿のような豪邸に住みたい」などと、実現不可能なことを願っても、お金は入ってきません。自分の中にも「実現しないだろうな」という思いが生まれ、イメージする力を弱めるからです。

自分の今のサラリー、将来のサラリーなどを計算し、最初は、「少し頑張れば手が届く」というところに目標を設定しましょう。それをかなえたら、また次の目標を立てればいいのです。そうすれば、気がついたときは、大きな目標を達成できているでしょう。

また、目標達成のためには、稼ぐことだけではなく、いかに節約するかを考えてください。じつは、私たちは、ストレスからお金を使いすぎることがよくあるのです。

別の形で上手にストレスを発散できれば、その分、お金を使わずにすみ、本当の目的のために使うことができるようになるでしょう。

たとえば、年に数回、海外旅行をしてストレスを発散していたＯＬが、少しリッチなランチを週に何回か楽しむようにしたら、「もう海外には行かなくてもいい、と思えるようになったんですよ」と話してくれたりします。

古くて狭い家が嫌で、「新築が欲しい」と思っていた人が、お金をかけずにリフォームして快適に暮らせるようになったら、「新築は必要ないな」と思うようになったという話もよく聞きます。ベランダを広くすれば、そこにテーブルを置いて、青空の下、家族みんなでご飯を食べることもできます。そういう食事は本当においしいもの。家でご飯を食べるのが楽しくなれば、外食が少なくなり、無駄な出費が減るでしょう。ぜひ、そういう工夫を取り入れてみてください。ストレスがなくなれば、新しくものを買ったり、消費したりする必要はなくなるのです。

今、欲しいと思っているものは、本当に欲しいものなのか、それとも、その気持ちの裏にストレスが潜んでいないか、常にチェックしてください。

ストレスが生みだした欲望なら、まずそのストレスを別の形で発散させる方法を考えてみましょう。お金をかけずに発散させる方法を見つけてください。

　ストレスからではなく、心の底から「欲しい」と思うものがあるなら、そのために必要なお金は必ず貯まります。強い思いがあなたのガーディアン・スピリットに届き、貯める努力ができるようになるからです。

なぜか出費がかさむときは、心の愛の電池切れかもしれません

ストレスがたまると、出費がかさみます。

ほとんどの場合、ストレスの本質は、愛情の電池切れです。心が淋しがっているのです。だから、本当はお腹がいっぱいなのに食べてしまう。飲みたくないのに、浴びるほどお酒を飲んでしまう。着もしない高価な洋服を買い込んでしまう。

愛情の電池が切れると、人間は誤作動を起こすのです。本当に欲しいのは愛なのに、別のものに手を伸ばしてしまうのです。

そんなときは、まず愛情の電池を充電することから始めてください。あなたの周囲に必ずある愛に気づくことです。友人でも家族でもかまいません。

あなたを気遣い、あなたを愛してくれる人は必ずいます。１００パーセントの愛ではないかもしれません。たった5パーセントかもしれません。けれど、愛は愛です。

あなたの周囲に満ちている、ささやかな愛の存在に気づいてください。

たとえば久しぶりに旧友に電話をしてもいいでしょう。家族写真を振り返ってみることも効果的です。久しぶりに夫を誘って、デートをしてみてもいい。エステ通いや美顔器の購入に大金をつぎ込んでいた人が、夫との関係を改善したら、とたんに出費が減った、というケースもあるのです。

そうやって愛を確認したら、今度はその愛を人に与えていきましょう。不思議なことですが、与えることで、愛はますます充電されていきます。大げさなことをする必要はありません。明るい笑顔を見せるだけ、元気のいいあいさつをするだけでも、愛を与えることになるのです。

そうやって、愛の電池を充電できたら、不必要な物欲はなくなっています。本当に必要なものだけが見えてくるようになるのです。ふくれあがっていた出費も、いつのまにか減っているでしょう。

次に、ストレスの原因として考えられるのは、天職と適職のバランスの悪さです。もう一度、ステップ1を読み直し、あなた自身の仕事の仕方を振り返ってください。そして、どちらかに偏っているバランスを整えましょう。誰にでも天職は必ずありますから、大丈夫。ただし最初から無理だと決めつけていると、何も変わりません。

また、ステップ4で書いたように、時間をうまく使っていない場合も出費はかさみます。自分でスケジュール管理ができていないと、たとえば人からの誘いを断ることができません。ついダラダラとつきあって、結果、時間もお金もロスすることになりやすいのです。

くり返しますが、私たちの持ち時間は永遠ではありません。人生のスケジュールをよく考えて、上手に時間をコーディネートしてください。無駄な時間が減ると、「死に金」も減ります。その分、価値あるお金の使い方ができるようになるのです。

自分にとって働く励みになるなら借金もひとつの「財産」になります

今、「借金」という言葉はあまり聞かなくなりました。ローン、キャッシングなどの耳ざわりのいいカタカナ語が主流です。けれど、言い方は違っても、中身は同じ。人や銀行からお金を借りることに変わりはありません。

借金にも、いい借金と、よくない借金があります。

たとえば、将来を考えて自分でローンを組み、マンションを購入するという場合。これは自分の住む場所をしっかり確保して自立するための借金ですから、何も問題はありません。計画的に返せるように、無理のないローンを組めばいいだけです。

宝石や時計などをローンで買うこともあるでしょう。高級ブランドの一流品を身につけることで「これに見合う自分になろう」という目標が生まれ、ローンの返済が負担ではなく、生きがいになるぐらいであれば、いいことだと思います。

つまり、これなら、借金が心の励み、働く励みになります。

一方、お金に振り回されてする借金は問題です。

「あれが欲しい」「これも欲しい」という欲求のままに無計画にカードやキャッシングを多用して、あげくに返しきれない借金を背負うのは子どもの感性です。

今、多重ローンを抱えて自己破産する人が増えていますが、返すべきものを返さないとカルマになります。人に迷惑をかけているからです。それはまた別の形で自分に返ってきます。

また、そういうお金の使い方をしている人が、仕事だけは、いい仕事をしている、ということはまずありません。借金を返すために働いているような状態になってしまっては、仕事に喜びを感じることなど不可能でしょう。

お金もお酒と同じです。「飲んでも飲まれるな」というスタンスが大切なのです。気分をリラックスさせたり、楽しく友人と盛り上がるために、お酒を飲むのはいいことです。けれど、アルコール中毒になって人に迷惑をかけるようなお酒はいけません。いずれ、自分の体も壊すことになります。

今は消費者金融で簡単にお金が借りられるし、カードを使っての買い物や食事は確かに便利ですから、つい使いすぎてしまう人が多いのもうなずけます。

でも、便利だからこそ、使い方にルールと計画性が必要なのです。自分の収入や預金残高を把握して「何カ月後には、必ず返せる」という確信なしに借金をしていると、結局、自分の首をしめることになりかねません。

たとえばカードなら必ず「一回払い」に限って使うようにすればいいと思います。一回で払いきれないようなものは買わないと決めるのです。そういうルールをつくっていれば、「気がついたら、ローンの返済額が信じられないぐらいふくれあがっていた」という事態にはなりません。

お金は便利な道具です。けれど、使い方を知らなければ、自分が振り回されて、人生を台無しにしてしまいます。

人生をより豊かにするために、お金という「道具」を賢く使いこなしてください。

Step 6

自信が生まれる「自分磨きのスピリチュアル・レッスン」

私たちは自分のたましいを磨くために生まれてきました「仕事」もその手段のひとつです

私たちは、自分自身を向上させるために生まれてきました。

さまざまな課題を選んで、私たちはこの世にやってきたのです。家族関係で苦しむ人、病気で苦しむ人、恋愛で苦しむ人……。

課題は人それぞれですが、みんな自分で選んできたのです。それを克服する中で、たましいをより高めていく。それが、私たちがこの世に生きている目的です。本書のテーマである「仕事」もその課題のひとつです。

課題を克服し、たましいを磨くということは、「感動」することです。

感動とは、うれしいことだけとは限りません。喜怒哀楽すべて、悲しみも苦しみも怒りも感動です。それを経験することで、私たちのたましいは豊かになっていくのです。

喜怒哀楽を体験すると、心にハッとショックが走るでしょう。それは心が「目覚めた」証拠です。目覚めるからこそ、ステップアップできるのです。

仕事で失敗して苦しい。出世できなくて悔しい。上司とソリが合わなくてつらい。すべてショックです。でも、「ショックを受けた」というと、自分が被害者のように思えてくるでしょうが、それは違います。「目が覚めた」のです。

ですから、ショックを与えてくれた人には、感謝するべきです。

そう、あなたを目覚めさせてくれるのは、いつも「人」なのです。

私たちは、人がいないと、気づくことができません。たった一人でいては、成長することができないのです。

ですから、自分を磨きたいと思うなら、人を避けてはいけません。人から遠ざかってしまっては、何も学べないのです。

自分を磨きたい、仕事力をアップさせたい、と思うとき、私たちはつい、机に向かって勉強をしなくてはいけないように思ってしまいます。確かに、机に向かう勉強で知識を増やすことはできます。けれど、知識をつければたましいが磨かれるのかというと、そうではありません。

もしそうなら、高学歴で偏差値の高い人は、みんな人格者ということになってしまいます。けれど現実には、知識は多くても人の気持ちが読めなかったり、社会の迷惑になるようなことをしている人がたくさんいます。

もちろん知識も大切です。けれど、それだけでは宝の持ちぐされ。大切なのは、経験であり、感動です。経験で培った知恵があり、感動で得られるたましいの成長があってこそ、知識が生きるのです。

その経験や感動を与えてくれるのは、人です。

あなたをほめてくれる人、けなしてくれる人、あなたのために喜んでくれる人、泣いてくれる人。そういう人とのかかわりの中で得られる感動こそが、私たちのたましいを磨きます。

いい仕事をしたい。自分を高めたい。そう思うなら、人の中に飛び込んでいきましょう。何も恐れる必要はありません。

私たちは常に見守られている存在です。

人とかかわると、傷つくこともあるでしょう。泣きたい思いもするはずです。だからこそ、いいのです。だからこそ、私たちは成長できるのです。

仕事をすることは、人とかかわること。そこで傷つくと考えるのではなく磨かれたと考えること。

するといる、仕事の仕方、人の見方が変わるはずです。

自分を高めるために必要な「何か」は、あなたのたましいが知っています

一番大切なのは、経験であり、感動です。

とはいえ、知識がいらないというわけでは決してありません。知識は、人格をより輝かせるためのアクセサリーのようなもの。ないより、あるほうがいいのです。

知性的な人が魅力的なのは、知識という宝石で身を飾っているからです。もちろん、たましいに輝きがなければ、どんな知識もただの石ころにしか見えません。たましいの輝きにプラスして、知識があるほうがいいということです。

また、知識を得たからこそ、たましいが成長し、輝くこともあります。気づくヒントを、知識が与えてくれることもあるからです。

ですから、本を読むのもとても大切なこと。月に何度かは本屋さんに足を運んでみてください。今、世の中で話題になっているのはどんな本なのか、人気のある知識人は誰か、本棚の間を回っているだけで、はっきりとわかります。

ただし、そのときどんな本を選ぶかは、気をつけましょう。

「話題になっているから」「はやっているから」という理由で本を買って読んでも、結局、適当な読み方しかできません。人との会話に乗り遅れずにすむ、という程度の効用しかないでしょう。

それよりも、「自分の心が欲する本」を手にしてください。

たとえば、心のスタミナが切れかかっているときは、旅行雑誌に掲載された美しい景色を見て癒されるでしょう。あるいは、生き方を説いた人生論の中に、自分の悩みを解決するためのヒントが見つかることもあります。

私の場合は、人生論というより、人の生き方をそのまま描いたドキュメンタリー本を読むことが多いです。そこに描かれるさまざまな人の生き方を疑似体験することができて、今までとは違う視点をいただけるからです。

仕事に直接役立つ参考書を買うのもいいでしょう。ハウツー本も悪いとはいいません。けれど、本屋さんに立ち寄ったときは、自分の心に素直になって、今、欲しいと思うものに手を伸ばしましょう。そうやって得た知識は必ずあなたの心を潤します。

とはいえ、最初に書いたように、私たちは知識を得るために生まれてきたわけではありません。たましいをより豊かに成熟させるために生まれてきたことを決して忘れないでください。そういう視点で知識や情報と向きあうとき、それは初めてたましいの輝きに役立つ経験になるのです。

学ぶことが楽しい――この気持ちが出発点にあれば夢は必ず現実になります

仕事以外のことに興味を持って勉強を始める人が多くなってきました。けれど、それと同じくらい「何をやっても長続きしなくて……」という言葉を耳にします。

まず考えてほしいのは、なぜ何かを学びたいのか、その理由です。ひとつは、「現実の社会の中で、より多く稼ぐために勉強したい」という理由があるでしょう。

もうひとつは、「たましいをより輝かせるために勉強したい」という理由です。適職のための勉強と、天職のための勉強と言い換えてもいいでしょう。

適職のために勉強したいという場合、つまり「リストラが不安だから、今の会社の仕事には必要ないけれど、別の資格もとっておきたい」というような場合。それは、やはり自分の生まれ持った技能が生かせるかどうか、という視点で選びましょう。計算が得意な人なら、会計士、ファイナンシャルプランナー、簿記などが考えられます。それは、自分の得意なものを見つめ直して決めればいいのです。

次に、天職のために勉強を始めたいという場合。これは、自分の心が本当に楽しめるものを選んでください。

相談者の中に、文章を書くのが大好きだという方がいらっしゃいます。人生でたった一本でいい、小説を書くのが夢なのです。だから、会社勤めをしながら、小説講座やライター講座に通っています。

これは、とてもすてきなことだと思います。

書いた小説が認められ、ベストセラーになる可能性が高い、とはいえないでしょう。けれど、続けていれば、書いた物語を絵本にして、子どもたちに読んで聞かせてあげられるようになるかもしれません。老人ホームの方に取材をして、それぞれの人生を小説化するという方法もあるでしょう。書く力を人の役に立てる道は、さまざまに広がっていきます。これはもう、れっきとした天職です。

そういう目標ができると、勉強は長続きするはずです。挫折しそうになったときでも、夢が力を与えてくれるからです。

天職の候補は、いくらでもあります。あなた自身が本当に好きなこと、たましいが喜ぶこと。そんな鉱脈をぜひ探してみてください。

ただ、天職で食べていこうという欲が出てくると、挫折する場合が多いので、気をつけましょう。たとえば「いくら書いてもプロになんてなれない」「プロになっても、食べてはいけない」などと思って、筆を折ってしまう人は星の数ほどいるのです。

プロになる必要があるのかどうか、それで食べていく必要があるかどうか、考えてみてください。適職と天職は違います。書くのが楽しい。書くことで人の役に立てればうれしい。それだけでよかったのではないでしょうか。

その出発点を忘れさえしなければ、夢はいつもあなたのそばにあるのです。

とびきりの笑顔で向きあいましょう 内面の美しさは必ず相手の心に届きます

笑顔は、幸運を呼び込むために、また、いい仕事をするために、なくてはならないものです。笑顔がなければ、どんな美人でも、幸運には恵まれません。仕事もうまくいきません。一時的にはうまくいくように見えても、長続きはしないのです。

逆にいうと、笑顔さえあれば、顔がどんな造作であっても、幸せになれます。まわりにいい人が集まるからです。仕事は人で決まりますから、仕事もうまくいくのです。

人には、それぞれ個性があります。整った顔が好きな人もいれば、愛嬌のある顔、味のある顔が好きな人もいます。美人に生まれたからといって、万人に好かれるわけではありません。

けれど、いつも笑顔の人は、万人に好かれます。それは事実です。

いつも笑顔でいることは、簡単なようで、なかなかできることではありません。

何があっても、笑顔で乗り切る強さがある人。悩んでいる人を笑顔で癒せる優しさのある人。周囲にいる人すべてに、笑顔という愛を与えることができる人。

つまり、心が美しい人でなければ、いつも笑顔でいることはできません。

造作ではなく、心が美しいかどうか。それが、すべてを決めるのです。

これを読んで、「そんなの、きれいごとよ」「美人が得に決まってる」と思った人は、注意してください。すでに心が素直さを失っています。

実際、相談者を見ていると、どちらかというと造作にはいまひとつ自信がない、という人のほうが幸せになっています。「私は外見では勝負できないから、せめてサービス精神はたっぷり持っていよう」「せめてジョークの達人になって人を笑わせよう」そう思って生きてきているから、愛嬌があります。生まれついての美人で、ちやほやされてきてしまった人より、周囲に「与える」ことを知っています。だから幸せになれるのです。

美人に生まれるというのは、必ずしもいいことではありません。たましいを磨くチャンスが少ないからです。

仕事をするうえで、第一印象が大切なのは事実です。

ですから、印象をよくするために、いろいろと努力するのはとてもいいことだと思います。一番いけないのは、「私は生まれつき、器量が悪いから」と、うつむいてしまうことです。「こんな顔だから、どうせいい印象は与えられない。だから仕事ができなくても仕方がない」と考えていては、絶対にたましいは輝きません。いい仕事をすることも、当然できません。

「容姿に自信がない」と、気持ちがすくんでしまうときほど、人の中に出ていきましょう。そして、いろんな人を観察してください。外見がいいから、仕事ができているのかどうか。幸せになっているのかどうか。そうではないことがきっとわかると思います。

いつも笑顔でいられる、強くて優しい人のところに、仕事も幸せも集まっているはずです。外見は、関係ないのです。

さあ、うつむけていた顔をあげましょう。笑顔の練習から始めてください。

✿人に信頼される「人間的魅力」を育てる一番の方法

いつも笑顔でいる努力を続けていると、自然に輝きが出てきます。すると、周囲に人が集まります。仕事がうまく回りはじめます。

反対に、「私は容姿に自信がない」と思ってうつむいていると、顔がくすんできます。すると、人が離れていって、仕事も行き詰まってくるでしょう。

つまり、最初にポジティブになれるかどうかで、そのあとのコースが決まるのです。

人に信頼されたい。人間的な魅力を持ちたいと思っているときも同じです。

最初に、「私はどうせ誰からも信頼されない」「魅力のない人間だ」と自分で思ってしまうと、たましいが輝きません。すると、人が離れていって、ますます自信が持てなくなります。悪循環なのです。

誰かに信頼されたいと思うなら、まず自分で自分を信頼しましょう。

考えてもみてください。自分のことを信頼できない人が、誰かに信頼されるでしょうか。あなたなら、そんな人を信頼できますか？　そう考えればわかるはずです。

まず、自分で自分を信頼してあげましょう。私には悪いところもあるけれど、いいところはその何倍もある。この点だけは、絶対に誰にも負けない。そういうところを探しましょう。自分で自分のサポーターになってください。

自分にはいいところがひとつもないと思えるときも、サポーターであることをやめてはいけません。本物のサポーターは、選手を育てるものです。いいところがないなら、つくりましょう。自分で自分を育ててあげましょう。大丈夫。本当はいいところがひとつもない人なんて、この世にひとりとしていないのです。私たちはみんな神に愛されて命を与えられ、この世に生まれてきました。どんな人でも心の奥底には神が住んでいるのです。神＝真・善・美と言い換えてもいいでしょう。それが本来のあなたです。それを思いだしさえすればいいのです。

そうやって自分を育てる努力を続けているうちに、少しずつ、自分を信頼できるようになってきます。「いいところもあるじゃない」と思えるようになってくるのです。それが、ポジティブな連鎖の始まりです。

実際にいいところが増え、たましいが輝きはじめると、周囲に人が集まりはじめます。

あなたにとって最高のサポーターは、あなた自身です。あなた自身が最高のパートナーであり、マネージャーであり、コーディネーターでもあるのです。自分の人生のすべてを、自分の力でプロデュースしていきましょう。そのとき初めて、あなたの人間的魅力は輝きだします。

人生に前向きだからうまくいくのです　この順番を間違えてはいけません

仕事で成功を収めている人は、みんな「前向き」な人です。

本書の中でも、ポジティブでいることの大切さを何度も書いてきました。けれど、「前向き」という言葉を間違ってとらえないでください。成功や幸福を求めて、ガツガツと前に進むこと＝前向きではありません。

前を向くということは、光のほうを向くということ。つまり、喜びと感謝の念を持って生きるということです。

今、あなたは、喜びを持って仕事をしていますか？　平和な国に生まれ、食べるのに困ることもない環境や、健康な肉体を授けられたことに感謝をしていますか？

あなたを支え、愛してくれている人に、愛を返していますか？

私たちは、つい忘れてしまうのです。今ここに命を与えられて、働いたり、恋をしたりできる、その奇跡のような確率を。私たちに現世での命が与えられたこと自体、本当にすばらしいことなのです。その喜びを常に感じて生きていくこと。それが、「前向きに生きる」ということです。

仕事で成功している人は、自分が好きなことを、喜びを持ってやらせてもらった、そのことへの感謝を語ります。必ずその喜びを語ります。

喜びがあるから、つらいことがあっても、乗り越えられるのです。

だから成功し、また喜びが生まれます。

喜びが先にあり、成功があとからついてきている。この順番を決して間違えないでください。成功することを目標に、仕事をしているわけではないのです。

「自分の力で成功してみせる」と思っている人は、やがて必ず不安になります。試練が訪れたときに、「私にはできるはずなのに、どうしてできないんだろう」と悩み、ポキンと折れやすいのです。

「喜んで仕事をさせてもらっている」と思っている人は、試練が訪れても、「まあ、いいか」と思えます。すべてを見守っている大きな存在を感じ、感謝をしているから、「大丈夫。なんとかなる」と思って、また頑張れるのです。

事実、私たちはみんな見守られている存在です。何があっても、絶対に「なんとかなる」のです。

すべてを自分の力で振り回そうとしないでください。最大限の努力をしたなら、あとは天にゆだねればいいのです。そうすれば、再び純粋な喜びを持って、仕事に取り組めるようになるでしょう。それこそが成功を呼び込むポジティブな姿勢です。

心が後ろ向きになっていると感じたときは、もう一度、今あなたのまわりにあるすべてを見つめてください。あなたを見守る存在の、確かな愛を思いだしてください。忘れていた仕事への喜びと感謝がよみがえるはずです。

もし、どうしても喜びがわかない、感謝がわかないというときは、必ず理由があります。それをよく見つめて分析してください。たとえば、適職と天職を分けていないからなのか。適職が自分に合っていないのか。それとも自分に自信がなかったり、愛情の電池が切れたりしているからなのか。

理由がわかったら、行動しましょう。自分にふさわしい適職と天職を手に入れるために、習い事を始めてもいいでしょう。外見に自信を持ちたいなら、エステに通うのもいいことです。愛情の電池切れなら、気の合う友人とゆっくり食事をするだけでも癒されます。

「そんなことをしても変わらない」と思っていると、いつまでたっても前向きにはなれません。

「思い」「言葉」「行動」

この三つを大切に、喜びに向かって進んでください。難しいことではありません。不安や恐れを手放して、本来のあなたに戻ればいいだけなのです。

人を見る目を磨くには、相手の「たましい」に目を向けることです

あなたは人を見る目に自信がありますか？

どんな仕事も人とのかかわりなしにやっていくことは不可能です。出会う人がいったいどういう人なのか「見抜く目」があれば、仕事の業績も、仕事のしやすさも変わってくるでしょう。

相手を正確に見抜くコツ、それは、まず自分の欲を捨てることです。

「こういう人であってほしい」というフィルターを捨てること、といってもいいでしょう。自分の願望が入ると、相手を見る目は確実に曇ります。

自分の願望も、先入観もなしに、まっさらな目で相手を見てください。そうすると、相手のいっていることが真実か否か、よくわかります。

次に、相手の言葉ではなく、行動を見るようにしてください。言葉では、いくらでも言い繕えます。口では「協力します」といっている人が、実際にはどんな行動をと

っているか。それを見れば、相手の誠意や人柄が伝わってくるはずです。

人を判断するときに、言葉に頼ってはいけません。

言葉は、ケースバイケースでいくらでも変わります。たとえば相談者の中に、関西に転勤してから、とたんに営業成績が落ちたという人がいました。話を聞いてみると、言葉の意味が東西で違うことに気がついていなかったのです。関東では、相手が「まあ、そうですね」といえば、おおむねＯＫです。けれど、関西ではこういわれたら断られたと考えるほうが確かです。それを知らずに営業をかけつづけると、「しつこい」と嫌われることになりやすいのです。

言葉に頼りすぎていると、こういうニュアンスの違いを見誤ります。ですから、言葉そのものではなく、相手がどういうつもりでその言葉を発しているのか、感覚でとらえるセンスが必要になってくるのです。

そして、人を見抜く最大のヒントは、じつは最初に会ったときに感じた第一印象にあります。最初に「ん？」と違和感を感じた場合、それはだいたい当たっています。その後、どんなに美辞麗句を並べられて、印象が変わったとしても、第一印象のほうが確かです。

だからこそ、ビジネス書などでは「第一印象をよくするテクニック」などがよく取り上げられるのです。でも、どう取り繕っても、その人自身のたましいのあり方はオーラとなって出ていて、それは感覚的にこちらに伝わってきます。けれど、先入観や言葉に惑わされていると、それをキャッチする感覚が鈍ります。

自分の欲を捨てて、感覚をとぎすまし、相手の行動をじっと見つめましょう。

そのとき、あなたの心のスクリーンに、相手の真実が映しだされてくるのです。

自分をアピールするのは難しいことではありません　まわりはあなたからのひと言を待っています

欧米では、人に自分をアピールするのも能力のひとつと考えられていますが、日本人にとっては、この自己表現はやはりまだ難問です。

自分をよく見せようとする言動が、いやらしいように思えてしまう日本的な美意識があるからかもしれません。

けれど、黙っていては伝わらないこともあります。自分が今までどんな仕事をしてきたのか、どんな能力があるのか、その能力を使って相手にどんな貢献ができるのか。それは、言葉にして伝えないと、相手が誤解してしまいます。自分を実物以上に見せるのではなく、実際にあるいい部分をありのままに見せればいいのです。

あがり症でダメだという人は、相手と会う前に、まず大きく深呼吸をしてください。鼻から大きく息を吸い、口から細く長く、ゆっくりと吐く。これを何回かくり返すのです。簡単なことのように思えますが、それをするとしないとでは、気持ちのゆとりがまったく異なります。

次に、「自分を表現することは必要なことだ」という意識をはっきりと持つことです。馬を水のみ場に連れていっても、のどが渇いていなければ水を飲まないでしょう。飲むのは、のどが渇いているときだけ。つまり、必要があれば何でもできるのです。

「私は内気だから」といっているうちは、まだ必要を感じていないか、あるいは、そういえば許してもらえる環境にいるということではないでしょうか。

確かに性格の殻を打ち破るには勇気がいります。

けれど、その勇気を出してください。

なぜなら、自分を表現するのは、相手のためだからです。

相手があなたをより理解しやすいように、自分に関する情報を提供してあげましょう。焦らず、ゆっくりと話せばいいのです。

必要なら、「私は口ベタなので」と前置きしてもいいでしょう。相手も「この人はそういう人なんだ」とわかれば、多少時間がかかっても聞いてくれます。

そういう努力をせずに黙っていると、相手にその分、負担をかけてしまう場合があります。相手のほうがいろいろと考えて質問しなくてはいけなくなるからです。

何もいわないのは、じつは「不親切」なこと。内向的な人は、優しい人が多いですから、その優しさを勇気に変えて、思いきって自分をアピールしてみましょう。自分のためではありません。相手のためです。そう思えば、こわばった頬の緊張がとけ、自然な笑みが浮かぶはずです。

Step 7

眠っている才能を開花させる
スピリチュアル・テクニック

企画力・創造力を伸ばしたいとき…

クリエイティブな部署に限らず、どんな仕事にも「アイデア」は必要です。効率をあげる方法はないか。今よりもっとおもしろいもの、新鮮なもの、役に立つものはないか。そんなふうに、常に「今あるもの」以上を求める気持ちが「アイデア」に結びつき、仕事の質をアップさせます。アイデアを生みだす企画力、発想力、創造力は、今、一番求められている能力のひとつでしょう。

皆さんの中には、アイデアマンといわれるような、発想力の豊かな人もいれば、「どうも私は頭が固くて」という人もいると思います。けれど、どんな人でも、コツさえつかめば、アイデアはわいてきます。ですから、決してあきらめないでください。

アイデアが欲しいと思うとき、もっとも大切なのは「静寂」です。

インスピレーションは、外から与えられるというより、自分の内側に静かに目を向けたときに、スッと訪れるものだからです。

いつも忙しくキョロキョロと外ばかり見ていると、なかなかいいアイデアはひらめきません。大切なのは、自分の「内なる声」に耳をすますことです。

そのためには、誰もいない場所にこもることが必要な場合もあるでしょう。けれど、慣れてくると、周囲に人がいても、自分ひとりの世界に入ることができるようになります。電車の中で、あるいは喫茶店で、誰かと話をしているときでも、フッと意識を自分の内側にだけ向けることができるようになるのです。そのとき、「ひらめき」が降りてきます。

ですから、どんなところでも「一人になれる」訓練ができている人ほど、アイデアが豊富にわいてくるのです。

私たちはみんなガイド・スピリットに見守られていますが、その背後にも、さらに多くのガイド・スピリットがつらなっています。すべてのガイド・スピリットを総称して、グループ・ソウルといいます。その中には、数学者もいれば、文学の得意な人、商才のある人もいます。グループ・ソウルはまるでホスト・コンピュータのような、叡智に満ちた存在なのです。

私たちは、このグループ・ソウルといつもつながっています。ですから、アイデアを授けてもらうことも、難しくはありません。

とはいえ、外からインプットする知識や情報が不必要かというと、そうではありません。グループ・ソウルからのすばらしいアイデアも、それを言語化できる力があなたになければ、理解できないからです。

あなたの頭に、さまざまな情報がデータベースとして入っているからこそ、たとえばその中のどれとどれを結びつければ、新鮮でおもしろいものができるか、というアイデアが、具体的にひらめくのです。

それがないと、いくらガイド・スピリットがアイデアを指し示しても、具体的に見いだすことができません。

まったく何もないところから、突然わき起こるアイデアはないのです。

ですから、さまざまなデータをインプットしておくことはとても大切です。それは本から得られる知識だけとは限りません。人との会話も大切にしてください。いろんな話の中で、ふと気になった言葉があれば、覚えておきましょう。ガイド・スピリットは、人の口を借りて、ヒントを与えてくれることもあるのです。

また、テレビや映画、雑誌などを見るのもいいことです。一見、仕事とは無関係に思えるようなことの中に、じつはアイデアは潜んでいます。

そうやってデータを蓄えたうえで、静寂の中に身を置く時間を持ちましょう。

ただし、「アイデア、アイデア」とムキになって探そうとせず、ゆったりと無の境地になるのです。お風呂の中などで、フッと何かがひらめくことも多いと思いますが、それは意識がリラックスして、よけいな濁りがなくなるからです。ピュアな気持ちで、意識を自分の内側にスッと向けてください。

すると、グループ・ソウルの中であなたが求めている分野に秀でたガイド・スピリットにプラグがつながり、アイデアがひらめきます。

集中力・記憶力を高めたいとき…

いい仕事をするためには、集中力が絶対に必要です。

同じ時間をかけても、集中して取り組んだときと、そうでないときでは、結果に歴然と差が出ます。集中力があれば、短時間で最高の成果をあげることができますから、時間のメリハリがつき、心身の疲労も少なくてすみます。

集中力を身につけるための、すばらしく効果的な方法を紹介しましょう。

まず、体調が整っていることが必要ですから、質の高い睡眠をとるようにしてください。時間は6時間が目安です。それより短いとつらいし、長いと逆に肉体が疲れる場合が多いのです。イギリスにあるスピリチュアルな能力を開発する学校では、生徒全員に6時間睡眠を義務づけているほどです。

目が覚めたら、まず大きく深呼吸をします。足を肩幅に開いて、鼻から大きく息を吸い、口から細く長くゆっくりと吐く。これを数回くり返してください。この呼吸法は、健康を保つうえでもとても重要なものですから、忘れずに毎日の習慣にしましょう。

次に、赤い花を用意してください。赤は、エネルギーの強い色です。これから活動を始める朝には、赤いものを見るのがいいのです。牛が赤い色を見ると興奮するのと同じで、人間も本能的に、赤を見るとパワーがみなぎるようにできているからです。

赤い花を、ただ一心に5分間、眺めましょう。何も考えてはいけません。それがポイントです。無念無想になってメディテーションをしてください。

集中力のない人は、いつも何かをこまぎれに考えています。だからひとつのことをじっくりと考えられないというクセがついてしまっているのです。一度、すべての雑念をとりはらって、頭の中をからっぽにしてください。ボーッとして、ただ赤い花を見る。それによって雑念でいっぱいの頭を一度リセットするのです。リセットするクセをつけるといってもいいかもしれません。

花がいいのは、その美しさに見とれることで、頭がからっぽになりやすいからです。りんごなどの食べ物は、「おいしそう」「食べたい」などという雑念がわきやすいので、このメディテーションには向きません。

これを毎朝の習慣にしてください。仕事が始まったあとでも、「集中力が途切れてきたな」と感じたときに、1分でも30秒でもいいから、このメディテーションをしてみましょう。基本的には、一日に3回、朝昼晩にやると効果的です。熟練してくると、人と話していても、できるようになってきます。

これを続けていると、必要なときに、パッと集中できる力がつくのです。集中できれば、記憶力も高まります。発想力も豊かになります。

プレゼンのために、急に大量のデータを覚えなくてはいけなくなった、新しいアイデアが必要になった、というときなど、一週間前ぐらいからでも効果があります。また、プレゼン直前にやっても、心が落ち着きますから、ぜひ試してみてください。

集中力を高めるためには、ダーツや弓道などのスポーツも効果的です。一心に心を統一して、的を見つめる。そのときの心の状態を覚えておくことで、それ以外の場面でも集中することができるようになるのです。

ESPカードを利用するのもいいでしょう。これは、三角や丸などシンプルなマークの描いてあるカードです。カードを伏せてじっと見つめ、描いてあるマークを当てようとすることで、集中力が高まります。実際に当たるようになったら、それだけ集中力が強くなったということです。

2本の割り箸を天井からぶら下げて、どちらか1本だけを「動け」と念じて見つめるというトレーニング方法もあります。2本使うのは、1本だけだと、たとえ揺れても、風の影響ということも考えられるからです。2本のうちの1本だけ動けば、自分の発するエネルギーで動かせたということがわかります。超常現象のように思えますが、この程度の力は、訓練しだいで身につけることができるのです。

いろいろな方法がありますから、自分に合うものを取り入れて、日々の習慣にしてください。

直感力を磨きたいとき…

AとB、どちらを選ぶ？

こう聞かれたとき、パッと直感で答えることができますか？

瞬間の判断で選べる人もいれば、迷ってしまってなかなか選べない人もいるでしょう。仕事をしていると、瞬間の判断が必要な場面がよくあります。そのときに、正しいほうを選べるのは、直感力の豊かな人です。

直感とは、自分の内なる声のこと。直感力の豊かな人とは、本当の自分の心の声が聞こえている人のことです。その声が聞こえていれば、間違った方向に進むことはまずありません。

では、直感力を磨くにはどうすればいいでしょうか。

まず、自分が好きか嫌いかを、常に意識して行動することが大切です。たとえば洋服を選ぶとき、ランチのメニューを選ぶときでも、頭の中でいろいろ考えてからではなく、パッと「好き」と思ったものを選ぶようにしてください。

そのとき、自分の欲や得をできるだけ入れないようにしましょう。「このほうがカロリーが少ないからダイエットにいい」とか「値段が安いから」などということを一度、度外視して選択するのです。

そして、そうやって直感にしたがって決めたものについて、クヨクヨ悩まないことです。たとえ間違った判断をしたと後悔したとしても、「それはそれでよかった」と、前向きに考えるクセをつけましょう。

ただし、自分がなぜそれをチョイスしたのかという、分析は必ずしてください。これがポイントです。

たとえば、水とお茶を選ぶとき、パッと「お茶が飲みたい」と思ってお茶を選んだとします。

お茶には、カテキンという殺菌力の強い成分も入っているし、ビタミンCも豊富です。じつは昨日から風邪ぎみで、ビタミンも足りていなかった。だからお茶を選んだんだな、というように、分析してください。

水を選んだなら、たとえば昨日、塩分をとりすぎたから、血中塩分濃度を中和させたかったんだ、というように。

そうやって、まず直感で選び、あとからそれを分析して、その直感が正しかったという裏づけを確認していきましょう。

そういう習慣をつけていくと、直感力が磨かれます。正しいほうを瞬時に選びとる力がついてくるのです。

分析を怠ると、直感は単なるヤマカンになってしまい、外れやすくなりますので、気をつけてください。

また、心の声を聞くことができずに、いつまでも迷ってしまうという優柔不断な人は、集中力のところで紹介した、2本の割り箸トレーニングをしてみてもいいでしょう。

「今日は、こっちの箸を動かす」と決めて、意識を集中させて見つめてください。どちらか迷っていると、これができません。あるいは、集中している箸ではないほうが動いたりする場合もあります。

二つのうちひとつを瞬時に選びとる直感力。選んだものに集中して取り組む力。それらは仕事をするうえでなくてはならないものです。

遠回りのよう思えるかもしれませんが、一度、このトレーニングを試してみてください。少しずつですが、変化は必ずあらわれます。

営業力を高めたいとき…

営業力は、いろいろな力の総合力です。

企画力、集中力、判断力、直感力、忍耐力、その他さまざまな力が集まったとき、ものが「売れる」のです。

優秀な社長に、営業畑出身の人が多いのは、そのせいでしょう。

たとえ営業職ではなくても、自分という労働力を売り込む力＝営業力は、働くうえでとても大切だといえます。

営業力を身につけるポイントは、たったひとつ。福のある人間になる、ということです。

福とは、幸福の福、「福の神」の福です。

今まで出会った営業マンを思いだしてください。どんな人なら、「買ってもいい」という気になりましたか？

美辞麗句を並べ立てる話術の達人？　押し出しの強い迫力のあるタイプ？

そうではなく、なんだか幸せそうな人、親しみやすい人ではないでしょうか。

もちろん、商品知識が乏しかったり、態度がいい加減だったりしては論外です。けれど、基本的なことができているなら、バリバリのやり手営業マンより、人がホッと安心できる雰囲気を持っている人、つまり福のある人のほうが、成績はいいものです。「この人からなら、買ってもいいかな」という気持ちになりやすいからです。

ですから、営業力をつけるためにも、まず「笑顔」が重要です。

誰でも、悲しい顔、怒った顔の人には近づきたくないけれど、ニコニコと笑っている人には「なに？　なんか楽しいことがあったの？」と近づきたくなるでしょう。

人をひきつける笑顔が、営業マンの何よりの武器なのです。

不自然な引きつった笑いではいけません。自然な笑いがいつも内側からあふれでてくるようにしてください。「笑う門には福来る」ということわざがありますが、まったくそのとおりなのです。

営業の腕を上げたいと思うなら、できるだけ笑いましょう。寄席に行ったり、お笑い番組を見るのもいいでしょう。ギャグマンガを読むのでもかまいません。まず、自分自身が大笑いすることです。その中で、人を笑わせるコツがつかめれば一石二鳥。それは営業トークにも役立つでしょう。

営業力のある人には、ぽっちゃりタイプが多いのも見落とせない特徴です。マスコミによく名前の出るような女性社長を見てください。丸顔でふっくらした人が多いでしょう。名のある企業の初代社長もだいたいそうです。福々しい人のほうが、貧相な人より、商売には向いているのです。

もちろん、病的な肥満は別ですが、人に安心感を与えるぽっちゃり体型であれば、無理してダイエットをする必要はまったくないと私は思います。

営業力アップには、まず笑顔。できればふっくら体型を目指しましょう。そして、最後の切り札は、ヴィジョンです。

つまり、自分がどういう人間でいたいか、どれだけの成績を出したいか、という目標をはっきり定めていることが大切なのです。

営業は、人と直接向きあう仕事ですから、忍耐力が必要です。それだけにストレスもたまります。自分がはっきりした目標を掲げていないと、ストレスに負けて、笑顔になることができなくなるのです。

また、その商品を売るのは何のためなのか、という哲学も必要です。たとえばマンションを売るなら、そこに住む人にどんな暮らしをしてほしいのか、どういうふうに幸せになってほしいのか、そこまで視野を広げて考えてください。もちろん、値段や性能は大切な要素ですが、それにプラスして、相手の感情や神我（真・善・美を求める心）に訴えかける商品説明ができるヴィジョンが必要です。それが最後の決め手になって、人を動かすことが多いのです。

営業力は、一朝一夕では身につきません。けれど、少しずつ努力を続ければ、必ずそれは報われます。そして真の営業力がついたとき、あなたの人間力もまた磨かれているといえるのです。

危機管理能力を持ちたいとき…

どんな仕事にもリスクはあります。

大切なのはそのリスクをどれだけ回避できるか、また、実際に危機的状況に陥ったとき、被害を最小限にできるかです。

不思議なことですが、危機が迫っているときは、必ずその手前で、前ぶれがあります。虫の知らせのようなものがあるのです。

たとえば、縁起でもない話をよく聞くようになるとか、なんとなくテンションや体力が落ちてくるとか。あるいは、順調に進んでいた物事が、なぜか滞りがちになったりすることもあります。小さなトラブルが続くこともあるでしょう。

あとから振り返って、「ああ、あれがそうだったのか」とわかることもありますが、ほとんどの人は、そのとき敏感に「予兆」を感じとっています。「あれ、なんかヘンだな」と思っているのです。

感じとったあと、どう行動するかが分かれ目になります。

危機管理能力のある人は、立ち止まります。慎重になって、石橋を叩きながら渡っていきます。それでも危機感がぬぐえないなら、引き返します。迷ったときは原点に戻る。これが鉄則だからです。

一方、危機管理能力がない人は、そのまま突き進みます。自分の周囲で起こる出来事に、何かしら不穏なものを感じても、「いや、そんなはずはない」「気のせいだ」と自分をごまかして、なかったことにしてしまい、ムキになって前進します。けれどその先には、落とし穴が待っていることが多いのです。

どうしてムキになってしまうのかというと、我欲が出るからです。「得をしたい」「恥をかきたくない」という思いが強くて、冷静さを失ってしまうのです。

何かよくない兆候を感じたら、まず頭を冷やして冷静に事態を見つめてください。我欲を捨てて、客観的に状況を見直してみましょう。

すると、さまざまなリスクが見えてきます。それをじっくりと検討してください。

たとえば、チームの中に弱っている人がいるなら、それとなく励まして様子を見たり、取引先の会社が危なそうなら、実際の経営状況を調べたり。できる手はすべて打ちましょう。

仕事をするうえで、ポジティブに物事を考えるのは大切なことですが、リスクを見て見ぬフリして、ただ楽観的に突き進んでいくのでは、「おめでたいだけ」です。実際に危機に遭遇したら、ポキンと折れてしまうでしょう。

周囲の状況をよく分析して、考えられるだけのことを緻密に考え、打てる手はすべて打つ。そうしたうえで、「なるようになるさ」とおおらかに構えて進んでください。それが本当のポジティブ・シンキングです。緻密な計算の上に、大胆な行動がある。そうすれば、危機を回避することができるでしょう。万一、危機に遭遇しても、うまく乗り越える方策が必ず見つかります。

まず、予兆に敏感になること。次に、緻密にリスクを計算し、修正すること。そして慎重かつ大胆に歩を進めること。それが危機管理能力の高い人の行動原則です。ただし、これも一朝一夕にはできません。何回か失敗し、経験を重ねて、初めてわかってくることです。

ですから、失敗を恐れないでください。何か失敗したときは、被害を最小限にくいとめる努力をしつつ、そこから何かを学びとろうとしてください。必要以上に落ち込んでしまうと、それができなくなってしまいます。

失敗こそ、私たちを磨いてくれる大切な経験です。私たちは、失敗をするために生まれてきたといってもいいぐらいです。つらい失敗、悔しい経験をくり返すうちに、たましいが磨かれます。そのとき、危機管理能力も自然に身についてくるのです。

Step 8

夢をかなえたいあなたへ
スピリチュアル・ワールドからのメッセージ

☼天職の夢を描くこと　それだけであなたの人生はもっと快適になります

人生を快適に旅するには、適職と天職のバランスを上手にとることです。

適職は今自分が手がけている仕事、それに加えて天職をいかに充実させるかが幸せを決める鍵になるのです。まだ天職と呼べるものが見つかっていない人は、思いきり自由に想像の翼を広げ、できるだけ楽しいことをたくさん考えてみてください。

たとえば、絵が好きな人なら、三年後には個展を開けるようになっていたいとか、料理の好きな人なら、自分のオリジナルメニューを写真入りで自費出版して友人に配りたいとか。好きなことですから、夢は限りなく広がるでしょう。

楽しい夢なら、いくつあってもかまいません。六十歳までには、エベレストに登りたい、カナダでサーモンを釣りたい、クジラを見に行きたい、などなど、やってみたいことを全部、書きだしてみてください。

旅先で見つけた素敵な場所に小さな家を建てて、家庭菜園を楽しみたい、というように、人生全般にかかわってくることでもかまいません。

今はまだ空想でいいのです。できるだけ楽しいこと、自分のたましいが喜ぶことを、たくさん書きだしてみましょう。自分の人生の未来年表をつくって、そこに書き込むと、より具体化するでしょう。

そのとき、絶対に「こんなこと無理」とか「そんなお金があるはずない」というふうに、自分で夢に歯止めをかけないでください。

まずは自由に夢を描いてみることです。次に、その実現のために、一歩一歩、計画を立てればいいのです。お金が必要なら、貯めましょう。場所が必要なら探しましょう。そのための情報は、自分から積極的に探しに行けばいいのです。

何もしないのに、誰かが教えてくれるだろうと思うのは、大きな間違い。自分の夢は、自分でつかむしかありません。「私にはそんな能力がないから」「自信がないから」という言葉もタブーです。まずやってみること。能力や自信は、そのあと、勝手についてきますから大丈夫。そうやって、天職の部分で夢をふくらませていると、適職でのストレスがぐんと減り、仕事をするのが楽しくて仕方なくなるはずです。

☼自分の適職と天職がしっかり区分けされていれば、仕事の壁を乗り越えるのは驚くほど簡単です

天職についてもう少し詳しく説明しましょう。

「これこそ自分の天職」だと思い、希望を抱いて志したのに、仕事の現実が見えてくるにつれて、夢も意欲も失っていくことがあります。

たとえば学校の先生にあこがれて、教員試験を突破したとしても、学校では、文部科学省やPTAなどとの軋轢《あつれき》があり、思いどおりの教育がすぐにできるわけではありません。同僚教師、管理職とのいざこざもあるでしょう。「天職」という言葉にふさわしい理想的な現場とはほど遠い状況に、悩んでいる先生も多いようです。

医師も同じです。厚生労働省や製薬会社との関係など足かせが多く、実際の医療といえば一人の患者に三分もかけられない。そんな状態の中では、やはり理想を貫くことはできず、「これが天職」とは思えなくなっていくこともあるでしょう。

理想の医療を追求するために、「国境なき医師団」のようなボランティアに志願し

たり、無医村に行ったりすることもできます。けれど、そこでもまた医療器具の不足から簡単な病気で命を落とす人を救えず、無念な思いをすることもあれば、住民の無理解に苦しむこともあります。

すべての仕事において、理想と現実の間には壁があるのです。

仕事をしようとする人はみんな、常にその壁と戦わなければなりません。

その壁を乗り越えるための苦しみは、自分自身のたましいを磨くための学びであり、必要なものです。そのために、人は仕事をするのだといってもいいでしょう。

けれど、むやみに壁にぶち当たって、それを乗り越えられないまま、転職をくり返していると、いつまでたっても成長できません。

「こんなはずじゃなかった」と苦しむのは、ひとつの仕事の中に「適職」と「天職」を同時に求めているからなのです。

たとえば教師になって、「今の学校で理想の教育なんてできない」と思ったとき、すぐに辞めるのではなく、「この仕事は適職。子どもと接するのが得意だという技能を提供しているだけ」と割り切って考えてみる。それは、決して「手を抜く」ということではありません。求めすぎる気持ちをクールダウンさせるのです。

そして「天職」として、たとえば週末だけフリースクールに通う子どもたちに接したり、アウトドア活動を教えるなどの仕事をして、そこで自分の理想を追求し、たましいの喜びを得るのです。

そんなふうに「天職」と「適職」を分けることで、状況が大きく変わったという人を、私はたくさん見てきました。「天職」で喜びが得られ、肩の力が抜けるため、「適職」としての仕事も、スムーズにいくようになるのです。

ひとつの仕事の中で、お金を稼ぎ、たましいの喜びも見いだせるなら、それが何よりでしょう。適職にとられる時間は長いので、その中に天職の喜びも盛り込みたいと願う気持ちはわかります。けれど、現実的に考えると難しいものがあります。

適職と天職を、自分の中でしっかり分けましょう。その割り切りができたとき、そびえたっていた仕事の壁を、いつのまにか突破できているのです。

この考え方で仕事をすると、出会う出来事すべてが喜びに満ちてきます

天職と適職の違いは、仏教用語でいう大我と小我の違いということもできます。聞きなれない言葉だと思いますが、この概念を知っているといないとでは、人生が大きく違ってきます。ここで簡単に説明しておきましょう。

大我とは、個人の狭い立場を離れた、自由自在な心のあり方を指します。唯一絶対である宇宙の真理や、神の意志のことだと考えてください。

一方、小我とは、個人的な欲望にとらわれた心のあり方です。自分を中心とした利己的、物質的な考え方を指します。

適職とは小我にもとづくものであり、天職とは大我にもとづくものです。

先にも書いたように、適職とは、お金や社会的地位、名誉などを得るための仕事のこと。天職とは、自分自身のたましいが喜ぶ仕事、そして神の意志にしたがって、真・善・美を実現するような仕事のことをいいます。

こう書くと、「天職のほうが崇高ですばらしい」と思われるかもしれませんが、そうではありません。くり返しますが、私たちには、天職と適職、両方が必要なのです。

なぜなら、私たちは、お金を得るために働く中で、あれこれ思い悩み、苦しみます。もっと給料が欲しいとか、人間関係がうまくいかないとか。けれど、最初に書いたように、そういう苦しみの中でこそ、私たちは自分を磨くことができるのです。

つまり、適職というのは、「たましいを鍛えるための訓練の場」なのです。

仕事の中では、必ず人とのふれあいが生まれます。どんな仕事にも「相手」がありますから、人とのコミュニケーションが絶対に必要です。じつは、それこそ人が自分のたましいを磨くためには必要なものなのです。

仕事の中で、人とぶつかり、悩み、それを乗り越える。

そこに本当の学びがあり、成長があります。

スポーツジムでトレーニングするときは、わざと重いダンベルなどを持って、筋肉を鍛えるでしょう。それと同じように、たましいを鍛えるためにも負荷がいるのです。それが仕事（適職）です。「重い」「苦しい」と思いながら働く中で、お金のありがたみを知ったり、人間関係の難しさを知ったりする。そうして、自然に自分のたましいを鍛えることができるようになっているのです。

「お金のためだけの仕事なんて、つまらない」と思うときは、少し視点を変えて考えてみてください。適職は、食べていくために必要な仕事ですが、それだけでなく、たましいを磨き、向上させるために、絶対に必要なものでもあります。そこで大切な学びと気づきが得られたとき、適職の中にもまた喜びが芽生えてくるのです。

☼運命の逆転法
——人生に迷ったときは、この発想の転換が役に立ちます

たましいを成長させるためには「訓練」が必要です。とはいえ、訓練だけでは飽きてしまうでしょう。ジムで鍛えたあとは、ジャグジーでのんびりリラックス。そして、よく冷えたドリンクを一杯。そういう楽しみがあるからこそ、またトレーニングをしようという気にもなるのです。

同じように、私たちは、適職だけだと苦しくなってきます。たましいのバランスをとるためには、天職も絶対に必要なのです。

けれど「適職は得ていても、天職を探せない」という人がとても多いようです。天職を探すのは、じつは簡単なこと。好きなことをすればいいのです。休日に温泉に行ったりスポーツをしたりするのが好きなら、それでもかまいません。とことん楽しみましょう。

ただし、そういうレジャーにはヒーリング効果や快楽はありますが、終わればそれ

きり。なかなか「たましいの本当の喜び」にはなりません。たとえ何度も海外旅行に行ったとしても、ふと「なんだか虚しい」と思ってしまうのではないでしょうか。レジャーは結局、「自分のため」だけの行為だからです。

「なんだか虚しいな」と思うようになってきた、そのときがじつはチャンスです。大好きなことを、「人のため」にしてみてはどうでしょう。自分だけの楽しみ（小我）から始まって、人の役に立つもの（大我）が見えてきたとき、それが「天職」になる可能性が高いのです。

具体的な例でお話ししましょう。相談者の中に、清涼飲料水のメーカーに勤めている男性がいました。糖分や添加物が多く、健康にいいとはいえないその商品を売る仕事にやりがいを感じられない、というのが、彼の悩みでした。そういう真面目な悩みを抱いている人は、じつはとても多いのです。

会社に勤めていると、こういう不本意なことはよくあります。その中で苦しむこともまた学びです。性急に会社を辞めることは、勧められないと思いました。

それよりも、まず必要なのは、天職を見つけることです。霊視してみると、彼は高校時代、甲子園に出場したこともあるほど、野球が上手だということがわかりました。

本人は、「プロになれるほどの腕じゃありませんから」といいましたが、それでも「子どもに野球を教えることならできるんじゃありませんか」とアドバイスしました。

以来、彼は休日に地域の子どもたちに野球を教えるボランティアを始めたのです。すると、しだいに表情がいきいきしてきました。

「今では生きがいですよ」というようになった頃には、転職願望も消えていたのです。誰かの役に立っているという喜びが、彼の心を安定させ、活気づかせたので、本業も苦にならなくなったのでしょう。

話は少しそれますが、どんな人の心の中にも、真・善・美を求める心があります。それを「神我」といいます。だからこそ、人は美しい風景を見て感動したり、真実を描いた小説や映画に涙したり、善なる行為を賞賛したりするのです。

「仕事で人の役に立ちたい」という思いもまた、意識するしないにかかわらず、万人が抱いている思いです。きれいごとのように聞こえるかもしれませんが、他人のために尽くす、人に喜んでもらう、ということが、じつはたましいの大きな喜びになるからです。

つまり、自分を喜ばせるためには、人を喜ばせればいいのです。

「私はできることが何もない」という人はいません。みんな必ず何かを持っています。お金にならなくてもかまいません。自分自身が本当に好きなこと、やっていると、時を忘れて幸せになれることを思いきってやってみましょう。そのとき、意外な天職が必ず見つかります。

自分が「本当にやりたいこと」がまだ見つかっていないあなたへ

仕事で夢をかなえるためには、自分が独立に向くタイプか、組織の中で働くのが向くタイプかも、はっきりと見極めないといけません。

現世でたましいの成長に役立つことが三つあります。親になること、上司になること、そして、独立することです。

なぜなら、その三つとも「ままならないこと」だからです。自分の思いどおりにはならなくて、必ず苦労がつきまといます。

なかでも、独立して仕事をすることは、「難行」です。安易な気持ちでは成功することはまずないといっていいでしょう。ですから、挑戦する前に、まず自分が独立に向いているかどうかを自問自答してください。チェックポイントは「依存心」です。

依存心の強い人は、当然、独立には向いていません。

たとえば就職のとき、会社の仕事内容ではなく、社名で判断する人、あるいは転職したあとで、「以前は××会社に勤めていました」などと、しょっちゅう口にする人は、会社のネームバリューに依存するタイプです。そういう人は、独立には向きません。

また「私には、社員時代に築いた人脈がありますから、独立しても大丈夫です」と胸を張る人も要注意です。過去の人間関係をあてにして仕事をすれば、独立した当初は、「ご祝儀」として顧客になってもらえるかもしれません。けれどそれは最初だけ。本当の実力がないと「ご祝儀」などアッという間になくなり、三年もたつ頃にはパタッと客足が途絶えて、倒産するケースが多いのです。

「もとの会社を離れて、一から人脈を築いていく」という決意ができて、しかもそれを実行できる人でなければ、事業の成功は望めません。

また、顧客のニーズを的確につかめない人も依存心が強いといえます。

たとえば、着物を洋服に仕立て直すリフォームがおもしろくなり、店舗を借りて開業した人がいました。確かに美しいデザインは人目をひくのですが、日常着として着るにはあまりに高価でした。「わかる人だけ買ってくれればいい」と思っていたのですが、「同じ値段なら一流ブランドの服を選ぶ」という顧客の思いが読めず、一年あまりで廃業してしまいました。

これでは客のニーズを見抜こうとせず、逆に「このよさをわかって」というこちらの要求を突きつけているだけです。つまりユーザーに甘え、依存していたわけです。

こういう場合は、適職は別に確保して、天職としてリフォームを続けていたほうがよかったといえるでしょう。

自分ではしっかりしているつもりでも、意外なところに依存心は隠れています。組織で働いていると、不本意なことも多々ありますが、それでも、組織に守られている部分は絶対にあるのです。

けれど、それでもどうしても独立したいというときは、自ら苦労を選び、たましいをステップアップさせるんだ、という覚悟で挑んでください。

独立して成功するかどうかは、自分の中にあるすべての依存心を捨てられるかどうか、その一点にかかっています。その見極めだけはしておきましょう。

転職したいと考えているとき あなたの「たましい」はゴーサインを出していますか？

転職の話があるときは、じっくり見極めることが必要です。はたしてこの転職が、自分にとって「チャンス」といえるのかどうか。収入を増やすチャンス、やりがいを増やすチャンス、自分を高めるチャンスなのかどうか。

そして、今の自分自身の波長を振り返ってみてください。

今の仕事にある程度は満足していて、このままでも別に不満はない状態なのか。反対に、今の仕事が嫌でたまらず、逃げだしたいと思っているのか。

「波長の法則」で、自分の波長に見合ったものが周囲に集まってきます。

自分のテンションが高いときにくる転職の話は、いい話が多いものです。逆に、自分のテンションが低く、不平不満でいっぱいのときにくる話は、あまりよくない話です。

それを基準に考えて、もう一度、冷静に、転職話を検討してみてください。

今、自分のテンションが低いと思うなら、転職は見送るほうがいいでしょう。かなり満足していてテンションが高いと思うなら、チャンスだと信じて飛び込んでもいいかもしれません。その見極めができるのは、あなた自身しかいないのです。

テンションの低いときは、転職の話自体、ないことのほうが多いものです。そういうときは、じっと耐えて、運命の流れを静観するしかありません。ただし、何もしないでいいというわけではなく、転職に必要な技能を磨いたり、資格をとる、情報を収集する、などの努力は必要です。また、今の職場に不満があるなら、それを解消するための方法を、少しずつでも考えてみることです。

そうやって、テンションを高めていれば、いつか必ず時期がきます。いい条件の転職先が見つかったり、今の職場環境が改善したりするのです。

焦らず、腐らず、じっとチャンスを待ちましょう。

あなたは大丈夫ですか？ 自由な仕事ほど本来厳しいものなのです

会社を辞めて、フリーランスとして働きたい。

転職願望と同時に、そんな思いを抱くときもあるでしょう。くり返しますが、独立することは、上司になること、親になることと並んで、三大修行のひとつです。どれもままならないことだから、自分を磨く修行ができるのです。

フリーランスになるということも、独立することと同じ。言葉を換えていえば、社長になることです。ですからすべての責任を自分で担わなくてはなりません。企画から営業、経理まで、すべて自分で引き受けるのです。誰かに頼ろうとする依存心があっては、仕事になりません。

ですから、「ラクになるだろう」と思ってフリーになるなら、やめたほうがいいでしょう。決してラクにはなりません。一人で社会に向きあうわけですから、会社に守られていた時代とはまた違う、別の苦労があるのです。会社でやっていけない人は、フリーになってもやっていけません。また、フリーでやっていける人は、会社員としてもやっていける人です。

フリーになりたいと思うなら、会社員でいる間に、意識はフリーランスのつもりで働いてみてはどうでしょうか。自分ひとりで支局を背負っているつもり、雇われ社長のつもりで、経理から企画、営業、すべて引き受けてみるのです。実際にはできなくても、シミュレーションしてみてください。

また、実際にフリーで働いている人の話を聞いて、情報収集することも大切です。そのうえで、自分は会社員でいるより、フリーで働くほうが向いていると判断できたなら、その道を進みましょう。思ったより大変そうだと思うなら、会社員として、より楽しく仕事ができる方法を探してください。

結局、フリーか会社員かという立場の違いは、あまり関係ありません。「私はすべての責任を引き受けて、この仕事をやっていく」という覚悟と気迫があれば、どんな立場でも、いい仕事はできます。仕事で幸せになることもできるのです。

仕事で幸せになるには「法則」があります　それがわかれば夢は驚くほど簡単に実現するのです

「会社の中で出世したい」「大金を稼ぎたい」

女性にもそんな夢を描く人が増えてきました。それは悪いことではありません。ただし、適職の中でのことなら、「これはしょせん、小我の夢だ」ということは割り切っておいてください。全身全霊でそういう夢に向かって熱くなりすぎると、人間が偏ってきます。

だからこそ天職を持つことが必要なのです。天職での大我的な夢、つまり、人の役に立とうとか、真・善・美を追求しようという夢を一切持たずに、利益や名誉を追い求めすぎると、どこかに無理が生まれます。それどころか、法を犯したり、妬む人に足を引っ張られたりすることがないとは言い切れません。今までそうやって破滅した人が何人もマスコミをにぎわしてきました。

適職という小我の中でも「大我」を失ってはいけません。

どんな場合でも、自分の立場だけでものを考えていては、出世も成功も幸福も望めないのです。これは「きれいごと」ではありません。事実なのです。

私たちが仕事で成功したり、夢をかなえたりするには、ガーディアン・スピリットのサポートが絶対に必要です。けれど、ガーディアン・スピリットは、私たちの物的な向上には興味がありません。いくらお金を稼いだか、どれだけ出世したか、どれだけ立派な家を建てたか、などということには関心がないのです。

ガーディアン・スピリットが興味を持つのは、私たちの精神性、つまりたましいの質です。

精神性を高め、たましいを豊かにするには、大我の部分を大きくすることです。

つまり、自分の利益のためではなく、人のため、社会全体のため、地球のため、そういう意識で仕事に取り組むとき、ガーディアン・スピリットは、私たちの行為に関心を示し、知恵を授け、サポートを与えてくれます。

大我にもとづく仕事であれば、力を貸してもらえるようにできているのです。ですから、その仕事は成功し、出世もできるかもしれません。

ただし、そのときガーディアン・スピリットは、「出世」そのものに力を貸しているのではありません。その仕事が成功することで、あなたがより大きなフィールドに出ていくこと。そこでより大きな困難にぶつかり、それを乗り越えようとする中で学ぶこと。そういう営みに対して、力を貸してくれるのです。

適職の中でも天職の中でも、必ず「大我」に着目してください。どうすれば大我的な行動をとれるのか、どうすれば大我的な夢を抱き、それを実現することができるのか。そこに焦点をあててください。

人のために、より大きな世界のために、自分と自分の仕事がいかに役立てるか。その視点が常に必要なのです。

「仕事で幸せになる」コツは、ここにあります。

そういう視点を持って仕事に臨むとき、ガーディアン・スピリットは、必ずあなたを守り、導いてくれるでしょう。そのとき初めて、あなたの仕事が、人生が、成功へと歩を進め、大きな夢が実現するのです。

最後になりましたが、本書に推薦の言葉を寄せてくださった酒井順子さんに心よりお礼申し上げます。

（了）

step8　自分の夢を実現したい人へ

（Ⅲ）

step5　自分の自由になるお金を得たい人へ

step6　自分をもっと磨きたい人へ

step7　自分の才能を開花させたい人へ

step3　出会いをうまく仕事に生かしたい人へ

step4　いつも忙しく時間に追われている人へ

（Ⅰ）

《あなたの毎日がもっと充実する処方箋》

step1　仕事をする「意味」を見いだしたい人へ

step2　仕事ともっと上手につきあいたい人へ

本書は、本文庫のために書き下ろされたものです。

スピリチュアル ワーキング・ブック

著者　江原啓之（えはら・ひろゆき）
発行者　押鐘冨士雄
発行所　株式会社三笠書房
〒112-0004 東京都文京区後楽1-4-14
電話　03-3814-1161（営業部）03-3814-1181（編集部）
振替　00130-8-22096　http://www.mikasashobo.co.jp
印刷　誠宏印刷
製本　宮田製本

 ISBN4-8379-6238-6　C0130

落丁・乱丁本は当社営業部宛にお送りください。お取替えいたします。
定価・発行日はカバーに表示してあります。

王様文庫